平等バカ

～原則平等に縛られる日本社会の異常を問う～

池田清彦
Kiyohiko Ikeda

はじめに

COVID－19（新型コロナウイルス感染症）のパンデミック封じ込めの（現状では）唯一の「頼みの綱」だと言えるワクチン接種の実施スピードにおいて、日本は諸外国から大きく出遅れた。2021年7月12日発表のデータでは、日本で2回のワクチン接種が終了した人の割合は18・6％である。51・4％となっているイギリスや、48・2％のアメリカでは、すでに日常が取り戻されつつあるようだ。

そもそも日本はオリンピックの開催に異常な執着を見せ続けていたのだから、本来であれば世界のどの国よりも先行してしかるべきだったと思うのだが、現実はかくもお粗末だったのである。

その理由の一つは国産ワクチン開発の遅れであるが、国は20年近く前から基礎研究に注ぎ込む金銭的および人的資源を削減してきたので、そもそもそれはどだい無理な話だったと思う。そうなると他国が開発したワクチンに頼るほかない。

2021年4月の時点では、菅義偉首相が国内の接種対象者全員分のワクチンを9

月までに確保できるめどが立ったと表明していた。ところが、7月に入ったころから突然、やっぱり足りないなどと言い始め、いったい何が本当なのか、わけがわからない事態になっている。

それはそうと、ワクチンの供給自体は順調だと思われていたころ、各自治体に委ねられていた肝心の接種のほうが思うように進まないという問題が浮き彫りになっていた。

そこを問われた河野太郎行政改革大臣（ワクチン接種推進担当大臣）は、2021年5月12日に出演したTBSの報道番組で「自治体が平等性に重きを置いていると気づかなかったのは失敗だった」という趣旨の話をしている。平等にこだわるあまりに、同じ高齢者でも具体的に誰から打つのかに頭を無駄に悩ませ、接種態勢を整えるのに時間を要する自治体が続出していたからだ。

大臣は、「完全に僕の失敗だった」と陳謝したが、要するに「ワクチン接種を担う自治体があまりにも平等性にこだわった」ことがスムーズに接種が進まなかった原因の一つだというわけだ。

「平等」というのは、「差別がなく、みな等しい」という状態を指す。これだけ聞けば確かに「平等を守る」ことは最重要であるように思える。しかし、平等が何より優先されることが常に重要かといえば、決してそうではない。

私の友人で、かつて日本最大級の東日本大震災被災地支援ボランティア組織である「ふんばろう東日本支援プロジェクト」の代表を務めていた(現在は「エッセンシャル・マネジメントスクール」代表)西條剛央は、このような頑なな「平等主義」が被災地行政の足かせになっている場面を各地で何度も目にしたという。

例えば、300枚の毛布が届いてもその避難所にいる500人全員に渡せないのなら一切配らないという判断をしたり、せっかく野菜が届いても全員に配れない場合はそのまま配らずに、結果、すべて腐らせて捨ててしまう、といったことが本当に起こっていたそうだ。

平等であるかどうかの一点のみが優先された結果、「被災者を支援する」という目的から大きく外れた、非合理極まりない事態に陥っていたのである。

ワクチン接種の件も、パンデミック下においての最大の目的は「感染の広がりを抑える」ことであって、そのためにやるべきは「早急かつ集中的に接種を進める」ことのはずである。

平等平等と言ってバラバラとのん気に打っていたのでは、打ってるそばから感染者が増えるので、その目的を果たすことなどできない。つまり、接種のスピードより平等を優先するなんてことは、非合理な判断以外の何ものでもないわけだ。

そういう意味では、行政の判断ミスだとも言えるのだが、その背景にあるのは、国民の側にもはびこる「平等が何より大事」という思い込みである。

同じ機会が同じタイミングで与えられるという意味で「平等」なのかどうかに神経を尖らせている人たちは、その意味での「不平等」が絶対に許せないので、いちいちクレームをつけてくる。だからそのクレームを受ける側にある行政のほうは、どんなに非合理だとしても平等主義を貫いて、結果がどうなろうと責任を取らずにすむ道を選ぶのである。

もちろん、状況によっては平等を最優先すべきケースもあるだろう。ところが、いつなんどきでも「平等だけが大事」と思い込んでいると、「平等な不幸」さえも受け入れるようになってしまう。みんなして不利益を被っていても、「あなただけでなく、不利益はみんな同じです」と平等を盾に説得されると、「なるほどそうか」と納得してしまうお人好しがこの国にはものすごく多い。

平等自体を「長い歴史の中で市民が勝ち取ったもの」と錯覚している人もいるが、勝ち取ったのは、権利という観点においての平等のみであって、人間はそもそも不平等なのである。

平等なのは命が一つずつでいつかは死ぬということくらいで、身体的な能力も頭脳的な能力も決して平等ではない。多少の差であれば努力すればなんとかなるかもしれないが、身体的にも頭脳的にも明らかに突出した才能がある人というのはいるし、その逆もしかりである。

容姿だって決して同じではない。平等という建前の下で、そのことを公言するのが憚られるようになっただけで、現実を見ればテレビ局の女性アナウンサーはどこも飛び抜けた美人揃いではないか。

さらには、経済的な不平等の問題もある。金持ちの家に生まれるか、貧しい家に生まれるかで、その後の人生は大きく変わる。ここまで経済的な格差が広がった近年の社会においてはこの不平等がもっとも深刻だと思う。

生まれつきの話だけではなく、どのような局面においても不平等というものは存在する。先に挙げた避難所の例にしたって、そこにいる人たちがみんな平等なのかといえば決してそうではない。被災して避難所にいるという事実は同じでも、例えば体力のある若い人と比較すれば、高齢者や小さな子どもはそうした状況において明らかに弱者であり、そういう意味では不平等なのである。

それを見ずして、「平等に毛布を配らない」ことにすれば、高齢者や子どもは間違いなく体力を消耗する。もちろん若い人だって毛布は欲しいだろうが、どちらにより深刻な影響が及ぶかといえば、もともとの弱者のほうであることは火を見るより明らかだし、むしろ不平等が深刻になるといってもよい。

弱者であるお年寄りや子どもに優先して毛布を配れば、もらえる人ともらえない人が出てくるという意味では確かに不平等だ。しかし、それは一方で弱者のハンディを補う役目を果たす。つまり、あえて不平等にすることで、結果的には（完全ではないにしても）平等になるのである。

平等を考えるうえで重要なのは、人間はそもそも不平等であるという視点や目の前にある不平等な状況を無視しないことだ。もともと不平等なところに、見せかけの平等を施したとしても、結果は不平等のままか、場合によってはさらにその差が広がることだってありうるのである。

人間が不平等であるというのは紛れもない事実であり、これ自体はにっちもさっちもいかないものだ。

しかし、状況に応じて「結果的な平等」を追求することはできる。

言葉の使い方というのはちょっと面倒くさいが、「平等」とは、英語で言えばequalityである。ただし、「一律」も同様にequalityと訳されることが多いので、「平等」とは極めて「一律」に近い概念だととられるほうがよさそうだ。

一方、不平等をなんらかの手段で是正することで得られる「結果的な平等」というのは、impartiality（偏りがない）であり、それは「公平」と言い換えられる。だとすれば、我々が現実として求めるべきは、「平等」より「公平」のほうだと言っていいだろう。

時にはあえて平等を選択するのが必要なケースはもちろんある。ただし、しつこく上っ面の「平等」だけを追い求める「平等バカ」の先にあるのは、実は「不公平」であり、時としてそれはより深刻な格差にもつながるのである。

目次

第2章 見せかけの平等が不公平を生む……45

第3章 人間はもともと不平等……85

第4章 平等より大事なのは多様性

第5章 「平等バカ」からの脱却

第1章 コロナ禍と平等主義

完全にピントがずれていた全国休校措置

「一昨日、決定した対策の基本方針でお示ししたとおり、感染の流行を早期に終息させるためには、患者クラスターが次のクラスターを生み出すことを防止することが極めて重要であり、徹底した対策を講じるべきと考えております。

(中略) ここ1、2週間が極めて重要な時期であります。このため、政府といたしましては、何よりも、子どもたちの健康・安全を第一に考え、多くの子どもたちや教職員が、日常的に長時間集まることによる感染リスクにあらかじめ備える観点から、全国すべての小学校、中学校、高等学校、特別支援学校について、来週3月2日から春休みまで、臨時休業を行うよう要請します。(以降略)」

2020年2月27日、当時の総理大臣だった安倍晋三は全国の学校に対する臨時休校を要請した。

この時点では休校期間は春休みまでとされていたが、その後4月7日には、東京、神奈川、埼玉、千葉、大阪、兵庫、福岡の7都府県に、さらに4月16日にはその他の都道府県にも緊急事態宣言が発令されたことを受け、全国の公立小中学校や高校の９割以上において、５月末まで継続されることとなったのである。

もう、すっかり忘れている人がいるかもしれないのであえて書いておくが、この休校要請が出された時点での全国の感染者数は１５６人だった。現在の状況を考えると「たった１５６人」だと言えなくもないが、もちろんこの時点では、新型コロナウイルスというものの正体がまだよくわかっていないうえ、１月15日に国内で初めての感染者が確認されて以来、日々刻々とその数が増えていく状況への不安も相まって、１５６という数字にはそれなりに深刻な響きがあったと記憶している。だから何か手を打とうとしたこと自体は間違っていないし、むしろ遅すぎたくらいだと思う。

しかし、その方法がなぜ「休校」だったのだろうか。

「何よりも、子どもたちの健康・安全を第一に考え」などと言っているが、この時点ですでに、子どもの発症例は少なく、重症化のリスクも低いという医学的見解が示されていたのだから、これはもうピントがずれているとしか言いようがない。神戸大学大学院医学研究科教授の岩田健太郎が毎日新聞の取材に対して、「ただ場当たり的に政治的判断がなされており、『科学より政治』という、またしても悪い前例になってしまった」と当時語っていたが、私もまったく同感である。

「一斉」であることに根拠などなかった

さらなる疑問は、なぜ「一斉」にこだわったのか、ということだ。

休業要請が出された2020年2月27日時点での都道府県別の感染者数（表1）を見ると、北海道の38人を筆頭に、東京都33人、愛知県25人、神奈川県16人、千葉県12人、和歌山11人と続き、10の府県が1桁の感染者数で、そのうち9府県は3人以下であり、31県の感染者数はゼロである。

休校措置がスタートした3月2日の時点でさえ、感染者ゼロの県がなんと25もあったのだ。

全国津々浦々に平等に感染者がいたわけではないのに、平等に休校措置で走りだせば、メリットよりデメリットのほうが大きいのではないかという疑問が生まれるのが

（表1）新型コロナウイルス感染症の国内事例について
（※チャーター便、クルーズ船の患者を除く）
出典:厚生労働省ホームページ

都道府県別の患者報告数（2020年2月27日12時時点）	
全　国	156名
北　海　道	38名
栃　木　県	1名
千　葉　県	12名
東　京　都	33名
神奈川県	16名
石　川　県	3名
長　野　県	1名
愛　知　県	25名
三　重　県	1名
京　都　府	2名
大　阪　府	2名
奈　良　県	1名
和歌山県	11名
福　岡　県	2名
熊　本　県	5名
沖　縄　県	3名

➡その他の31県　0名

自然なのに、なぜ全国を対象にするのかについての根拠は結局、何も示されなかった。まあおそらくは、たいした根拠などなかったんだろうね。

休校措置を要請するにしても、すべての都道府県が逼迫した状況にあるわけではなかったのだから、ほかにやりようはあったはずだ。

例えば、感染者数が少ない（あるいは感染率が低い）自治体の中で、休校にする学校としない学校をあえてつくる。もちろん一時的な不平等は生じるけれど、そうして結果を比較すれば、休校という政策に効果があるのか、やってもあまり変わらないのか、あるいは逆効果なのかが判断できる。

少なくとも休校要請を出した時点では感染者の数からしても、また、そもそも子どもは重症化しにくいというエビデンス的にも、それくらいのことをやる余裕は十分にあったはずだ。

そうやって検証するのが科学的態度であり、そこで得たデータがあれば、次に似たようなエマージングウイルスが侵入した際に、さまざまな政策を決定するうえでの有力な判断材料にすることだってできただろう。

しかし実際には、全国一斉にこだわったせいでなんの検証もできていない。なかには独自の判断で休校措置を取らなかった自治体もあったようだが、その数が少なすぎて休校の適否の判断を下せるほどの数には至らなかった。

そう考えると、案外それが、頑なに「全国平等」にこだわった理由なのかもしれないな。一律同じにして比較できないようにすれば、休校措置に意味があったのか、なかったのか、あるいはむしろ有害だったかが誰にもわからなくなるし、そうすれば責任問題をうやむやにすることができるからね。

日本政府というのは客観的なエビデンスを示そうとしないのが常であるが、それが結局は自らの首を絞め、混乱を招いていることを決して認めないのだ。

緊急事態宣言もそうだけど、客観的なエビデンスに則ってさえいれば、続けるかやめるのかの判断は簡単だし、反対者を納得させることも難しくない。

「一斉休校」の要請にしたって、「子どもたちの健康・安全を第一に考え」という漠然とした大義名分だけで始めてしまったから、いざ学校を再開する際にもその根拠を明確に示せない。そのせいで、「じゃあ、子どもたちの健康と安全において、もう危険は一切ないということなのか？」とか、「もしも学校で感染者が増えたらどうするんだ」などと反対したり文句をつける人がたくさん出たよね。場当たり的な判断のせいで、かえって面倒な事態を引き起こしたのである。

とにかくあらゆる意味で、「平等に休校」は愚策であり、休校にする学校と、休校にしない学校が適当にあったほうが本当はよかったのである。ある方法の適否がわからないときは、両方ともやってみてどちらが効果的かを調べるやり方はとても合理的なのだ。

GoToトラベルキャンペーンに平等を求めても仕方がない

ＣＯＶＩＤ－19は、２０１９年12月に中国・湖北省の武漢市において世界で最初の患者が確認されるやいなや、急速に感染者を増やし、２０２０年の1月下旬にはほぼ中国全土に拡大した。

ところが、まさにその渦中にあった２０２０年1月24日、安倍前総理は、日本大使館のホームページに中国国民に向けて春節（旧正月／2020年は1月24〜30日）の訪日を熱烈歓迎するメッセージ動画を公開したのである。

その効果は〝絶大〟で、多くの中国人観光客が続々と日本を訪れた。春節の終わりを見計らったかのように、2月1日からは武漢市のある湖北省から、同13日からは浙江省からの、地域を限定した入国制限は行ったが、中国全土からの入国制限に踏み切ったのはなんとさらに1か月も先の3月9日だった。このような初動封鎖の失敗が日本におけるパンデミックの大きな原因になったのは明らかだろう。

もちろん、本来、往来の自由は認められているので、こっちから来た人は入れてやるが、あっちから来た人はダメというのは不平等といえば不平等なのだが、これはセキュリティの問題なのだから、不平等だと批判するのはお門違いというものだ。

2020年7月22日にスタートしたGo Toトラベルキャンペーンも同じである。感染者が特に多かった東京都を除くかたちでスタートしたため、「不平等だ！」と怒っていた都民も少なからずいたようだが、ここで平等を担保していたら、もっとひどい結果になっていたに違いない。

10月1日には東京都も対象に追加されたものの、11月に入ると都市部において感染者数が急増し、札幌市や大阪府、さらには再び東京都や名古屋市、広島市も除外される流れになった。

そして12月28日に全国一斉停止に踏み切り、この原稿を書いている2021年8月6日現在、再開の見込みは立っていない。

Ｇｏ Ｔｏトラベルキャンペーンには批判の声も多いし、私も両手を挙げて賛成というわけではないが、感染を抑えながら経済を回すという目的を考えれば、もっと合理的なやり方があったのではないかと思う。

地域限定での観光支援策を講じた自治体もあったようだが、地域によって感染状況には大きな差があり、日本のすみずみまで緊急事態下というわけではないのだから、感染者の出ていない地域間での行き来だけに限定すれば、都道府県をまたぐＧｏ Ｔｏトラベルキャンペーンでも、感染が広がるリスクはそんなに高くないことなど、少し考えればわかるはずだ。

それぞれの地域の個別事情を考えず、平等にダメというのは合理的ではないと私は思う。大金を払える人ほどお得感があるなど、制度の不備による金銭的な不公平感に対する不満はよく耳にしたけれど、全国一斉の停止措置に対しては「仕方ないな」と割と素直に受け入れている気配がある。

「みんながダメなら平等だ」と考えている人が大多数だということなのかもね。

平等主義の裏にある無責任主義

先に述べたように、全国一斉休校措置の要請に対しては、独自の判断を下した自治体も確かにあった。

例えば、栃木県茂木町ではいったん決めた休校を1日で取りやめていたし、報道によると栃木、群馬、埼玉、京都、兵庫、岡山、島根、沖縄の8府県の439校も休校見送りの方針を打ち出していたという。

とはいえ、文部科学省の調査結果によると、全国に緊急事態宣言が発令されていた2020年5月11日の時点で臨時休業を実施していた学校（国公私立の幼稚園、小学校、中学校、義務教育学校、高校、中等教育学校、特別支援学校、専修学校高等課程）は86％に上っていたらしい（表2／東京と福岡の私立高校は未集計）から、やはり平等主義派が圧倒的多数だったのである。

そんな日本の平等主義の背景に隠れているのは、無責任主義である。

誰かが言ったとおりにすれば、それがうまくいこうが失敗しようが、自分が責任を取る必要はない。建前上は各自治体の判断に任せることにはなっていたが、例えば知事の判断で自分の県だけ違うことをやれば、万が一、何かが起こったり、あるいはクレームがあったりしたときに、当たり前だが知事の責任になる。

場合によっては、知事がさらに市町村の長に「そっちの責任でよろしく」などと判断を委ねるようなややこしいことも起こったりするが、いずれにしても、日本全国で足並みを揃え、何かあっても政府の責任ということにしておくほうが、自治体の長としては都合がいい。

「それぞれに事情はあるだろうから最終的な判断は各自治体に任せます」という強いメッセージを出していれば少しは違っていたかもしれないが、実際には「首相の命令

（表2）2020年5月11日時点で臨時休業を実施していた学校の割合（全国）

	公立	国立	私立	合計
幼稚園	77%	84%	69%	73%
小学校	88%	90%	90%	88%
中学校	88%	90%	92%	88%
義務教育学校	87%	100%	100%	88%
高等学校	90%	93%	88%	89%
中等教育学校	100%	100%	88%	96%
特別支援学校	90%	82%	60%	89%
専修学校高等課程	80%	0%	82%	82%
計	87%	87%	76%	86%

（※）表中の割合は、回答があった学校数全体のうち、
「11日現在、臨時休業を実施している」と回答のあった学校数の割合を示す。
（※）私立については、東京都、福岡県が未回答となっている

なのだから聞くのが当たり前」というムードが漂っていた。責任を取らずにすむのであればなんでもOKというのが今や役人の行動様式になっており、そんな彼らからすれば「平等」や「一律」は、ちょうどいい言い訳なのだ。

「日本全国平等に休校なのだから、つらいけれどみんなで頑張りましょう」ということで簡単にすましていたのである。

しかし、何度も言うが、感染者数には大きな違いがあり、置かれている状況はそもそも不平等なのである。そこを見ずして、とにかく平等だからと、その地域においてはかえってマイナスになることを強いるな

んておかしな話ではないか。

ちょっと頭を使って考えればわかりそうなものなのに、平等が何より大事なことだと勘違いしている人たちは、平等という言葉で説得されると簡単に納得してしまい、それ以上は考えようとしない。平等という名の目くらましのせいで実質的には不公平な状況が生まれていることに気づくことができないのだ。

手間をかけたくないから平等を使う

国や役人が「平等」にこだわるのは、無責任主義以外にも理由がある。とりあえず平等にしておけば、たいした手間がかからないからだ。

例えば、目の前に子どもが3人いて、りんごが3つあったとしよう。一つずつ均等に分け与えれば確かにこれは平等である。

しかし、もしも3人の子どものうちの1人は昨日から何も食べていないとしたら、一つずつ均等に配るのは果たして公平なのだろうか。

心ある人ならば、昨日から何も食べてない子にはほかの2人より少しだけ多く配分したくなるだろう。

ところがそうすると、ちょっと面倒なことになる。

「昨日から何も食べてない」ことがどれくらいのハンディになると見なせばいいのかとか、見かけは平等な配分にならないことをほかの2人にどう納得させるかとか、あるいはもしりんごを切らざるを得ないとなれば、ナイフを調達してこなければならないかとか、いろいろややこしいことが発生するのだ。

だからいちいちそんなことを考えたくない人は、昨日から何も食べていないという事情は聞かなかったことにするに違いない。そんなふうに個別の事情はなるべく見ないようにして同じ数のりんごを配ったり、逆に配ること自体をやめてしまうというかたちの「平等」を選ぶのが、多くの役人のやり方なのである。

昨日から何も食べてない子どもに配慮する行為が結果的には弱者を助けることになるのだが、それには手間がかかる。しかし、手間をいちいち惜しんでいては、「結果の平等」、つまり「公平」は実現できないのだ。

「はじめに」で紹介した避難所の毛布の問題にしても、500人に対して300枚しかない毛布を配ろうとすれば、配る300人をどうやって選ぶのかを考えなければならない。何歳からを高齢者と見なすのか、子どもは何歳までにするのか、具合が悪くなっている人をどう考慮するのか、結果として毛布をもらえなかった人が文句を言い始めたらどう対応するのか……。

そんなことに頭を悩ませるのが嫌な場合に逃げ込むのが、まさに「平等主義」なのである。

完全な公平を求めるのは非現実的である

「平等主義」とは一種の「事なかれ主義」であり、世の中にまかり通る安易な平等主義は単なる怠慢だと捉えることもできる。そこにある不平等から目をそらさずに公平を実現させるのは、本来は国や役人の役割だからだ。

ただし、忘れていけないのは、完全なる公平はありえないということだ。

昨日から何も食べてないハンディをりんご半分と見立てるのか、4分の1個分と見立てるかは、りんごを配る側の恣意的な判断である。つまり、どういうバランスを公平とするかに完全な答えはないのだから、多少の幅が生じるのは仕方がないことなのだ。

自分のハンディをりんご半個分だと言われてしまうと、いやいや5分の3くらいの見立てにしてもらわないと公平じゃない、などと不満をもつかもしれないが、こういう場合の公平とはあくまで「公平感」なので、そもそも絶対の正解はない。そんななかでささいな差にこだわり続けていると、話が前に進まなくなってしまう。ぐすぐすしているうちにりんごが傷んでしまう危険だってあるし、この程度の差であればさっさと受け入れてしまったほうが結果的には得だということはおおいにありうる。

65歳以上の高齢者を対象にしたワクチン接種がスタートしたあとの混乱にしたって、多少は前後することがあっても遅かれ早かれ自分も打てるのだから十分に「公平」だと考えられる人ばかりなら、そう混乱することもなかっただろう。

実際、福島県相馬市では、市内を10地区に分けてあらかじめ接種日時を指定したことで、接種が順調に進んだというし、同様のシステムを採用した南相馬市では予定していた高齢者の集団接種の完了日が予定より1週間も早かったという。

接種順は地区代表者のくじ引きで決めたそうだが、報道によると、日時を勝手に決められたことや順番が前後することに対する苦情はほとんどなかったらしい。もしも「年齢は同じなのに、自分より隣町の人のほうが1週間も早いとはけしからん！」などと文句を言う人ばかりだったらこんなにうまくはいかなかっただろう。極めて合理的だと思われるシステムを柔軟に受け入れた相馬市や南相馬市の住民たちの懐の深さや賢さにも「相馬モデル」成功の秘訣があったのだ。

不公平に目くじらを立てすぎると損をする

多くの自治体が「先着順」で接種の順番を決めるというシステムを採用したのは、半ば運任せのシステムにするほうが「公平」だと考えたせいだと思う。ネット予約に関していえば、ネットが使えなかったり、身近に手伝ってくれる人がいない人は申し込むことさえできないのだから、少なくとも高齢者にとってはまったく公平ではないのだけどね。

しかも、結果的にはネットも電話もパンクして予約受け付けがストップしてしまった。そのせいでただでさえ遅れ気味のワクチン接種はさらに遅れ、住民は多大な不利益を被ることになったわけだ。

まあ、このあたりは想像力の欠如としか言いようがない。ただ、こういう自治体にも相馬市のようにあらかじめ日時指定するという考えが、もしかしたらあったのかもしれない。しかし、結局そうしなかったのは、勝手に日時指定をしたりすると後回しにされた人たちから「不公平だ！」とクレームがくるのではないかと危惧したからだろう。もちろん、クレームを恐れるのは無責任主義のなせる業ではあるのだが、「何がなんでも公平にしておかないとここの住民は許さないだろう」と自治体に思わせてしまう空気のほうにも問題はある。

公平というのは、質量的に、あるいは時間的に、ある程度の幅の中で成立するものだと考えるほうが現実的であり、合理的なのである。

あからさまな不公平は国民の倫理観さえ揺るがす

ある程度の幅というのはケース・バイ・ケースなので、どれくらいが許容範囲なのかは一概に言えないが、限度を超えればそれは単なる不公平である。

緊急事態宣言を発令して国民に自粛生活を強いるなか、東京オリンピック・パラリンピックを開催するなどというのは常軌を逸した明らかな不公平である。感染拡大予防のために店を閉めろとか、酒を出すな、などと言ってただでさえ疲弊している飲食店をさらに追い込み、仕事はなるべくリモートにしろ、授業はできるだけオンラインでやれ、子どもの運動会は中止しろ、などと言っている傍で、世界中から人を呼び寄せて派手なイベントをやっているのだからむちゃくちゃだよな。しかもそれを政府主導でやっているのだから、開いた口がふさがらないとはこのことだ。

日本人というのは協調性が高く、「自分さえよければ」という態度をあからさまに見せることを恥とする国民である。常に周りに合わせようとするそのような態度はいい面ばかりではないけれど、少なくとも社会の秩序を保つうえではプラスに働いてきたのも確かだ。

　しかし、ここまであからさまな不公平が国主導で横行したことで、そんな日本人の倫理観や道徳観も根底から揺らぎ始めていると思う。でたらめな言い訳を並べたところでオリンピックだけが特別扱いされているのは歴然なのだから、ルールなんか守ったところでなんになるという気にさせられるのは当たり前だ。こういう許容できないレベルの不公平が、時短要請や酒の提供禁止に応じない飲食店とか、緊急事態宣言下でも街に繰り出す人を続出させる原因なのである。

　長引くコロナ禍やそれに対する政府の対応のまずさに国全体がうんざりしていることは確かだけれど、もしもオリンピック中止を英断するか、あるいはせめてオリンピックとの「不公平感」を払拭していたら、国民も多少は今より国に協力的になっていたかもしれないね。

自粛警察の根っこにある「嫉妬羨望システム」

公平は大事だけれど、常に最優先というわけではなく、プライオリティをあえて下げるべきときもある。

奈良県などは、地域の公平性を保つために高齢者人口の割合に応じてワクチンを均等に割り当てる方針を立てていたようだが、集団免疫の獲得を目的とするなら、あちこちに「公平に」ワクチンを分散させることより、感染者が多く出ている地域から順に「短期間のうちに集中して打つ」ことのほうが大事だったのではないかと私は思う。

天然痘ワクチンのように終生免疫ができるのなら少人数ずつ接種してもあまり問題はないが、COVID－19のワクチンの場合は、有効期間が最短だと4か月くらい、長くても1年に満たないのではないかと言われているので、だらだらと接種に時間をかけてしまうと免疫が切れた人が感染し、その人からまた感染が拡大してしまう可能性は十分にある。

一定の地域において短期間で集中的にワクチン接種を行えば、その地域の感染者は確実に減る。「一定の地域」から漏れた人たちは「公平でない」と文句を言うかもしれないが、そうやって感染者が多い地域から抑え込んでいくやり方のほうがパンデミックの早期収束は見通しやすい。

ただ問題は「不完全な公平」や「公平のプライオリティを下げること」に拒絶反応を示す人がものすごく多いということだ。これは、自分と同じようなタイプの人が、自分よりちょっとだけいい思いをするのが許せないという「嫉妬羨望システム」ともいうべきムードが日本の社会全体に根深く染みついているせいだろう。

緊急事態宣言中にサーフィンに行ったり、パチンコに行ったりする人を袋叩きにするいわゆる「自粛警察」などはまさにその典型で、「自分は家で我慢しているのに、楽しそうなことをするヤツがいるのは許せない」というのが彼らの言い分なのである。

サーフィンに行ったりパチンコに行くことがどれだけ楽しいことか私にはよくわからないけれど、その程度の差に目くじらを立てるメンタリティのほうがよほど問題だと私は思う。なぜなら現状への不満に端を発するこういうメンタリティの蔓延こそが、安易な平等主義をはびこらせる要因になっているからだ。

「10万円一律給付」が受け入れられた理由

とりあえず「平等」にしておけば、頭を使わずにすむし、あまり手間もかからない。ただし必ずしもそれがダメだと言いたいわけではなく、良い面も当然ある。

このコロナ禍でも、「平等」にしたことで功を奏したと感じたケースは確かにあった。それは、２０２０年４月20日にコロナ禍における家計支援策として閣議決定された特別定額給付金事業である。

通常このような支援金の給付に際しては、実際の困窮者に的を絞ることを目的に所得制限が設けられるのが普通である。しかし、この特別定額給付金事業では、国民一人あたり10万円が一律に支給された。

もちろん、コロナ禍にあるからといって、みんなが等しく困窮していたわけではない。しかし、ここで公平性を重視しようとすれば、どこの誰がどれくらいの支援を必要としているかを支給する側が把握しなければならず、実際の支給までかなりの時間を要することになりかねない。

緊急事態宣言を全国に発令している以上、迅速な対応が急務だった国は、「全員に平等に支給」という簡素な仕組みによって、それを実現しようとしたのである。また少なくとも普段通りの生活を送れないという意味では国民は平等に不利益を被っているわけだから、「平等」であることに一応の根拠もあった。この給付金がかなり好意的に受け入れられた理由は、単にみんなしてお金をもらえたから、ということだけではなく、（多少の幅はあったようだが）一定の迅速性と、シンプルでわかりやすい仕組みがあったからだと思う。

それぞれの困窮度を考えれば完全に公平ではなかったとしても、この非常事態下において重要だったのは、困っている人にきちんとお金が行き渡ることである。

全員を対象にしたせいで金持ちまで得をしたではないかという批判の声もあったようだが、10万円という金額の価値は低所得層ほど大きいはずだ。金持ちも多少は得をしたかもしれないが、貧しい人にとってのメリットはそれよりはるかに大きいのだから、それでいいじゃないか。

だから私は、この政策は安倍政権が残した数少ない良策だったと感じている。悪名高き「アベノマスク」に投じた260億円も、本来はこっちに使うべきだったのだ。

飲食店の不満が爆発した恣意的な運用

緊急事態宣言の影響緩和のための支援金には、特別定額給付金以外にもさまざまなものがあったが、そのほとんどは不満の声のほうが大きかったようだ。

特に飲食店を対象とした時短要請協力金は、当初「一店舗あたり最大一日2万円」だったが、2回目の緊急事態宣言下では「店舗の規模にかかわらず一店舗あたり一日6万円」にまでに引き上げられ、事業規模の小さい店ほど得をする傾向がより顕著になったことで、強い不公平感を生む結果になった。

「一律に支払う」という部分だけを切り取れば一見平等のように見えなくもないし、だったら特別定額給付金と同じようなメリットがあるのではないかと思うかもしれない。もしかするとそれを踏まえて「一律」としたのかもしれないが、「なんらかの基準を満たした人だけ」というただし書きがついた時点で、話はまるで違ってくる。

「ある一定の業種だけ」「ある一定の条件をクリアしている場合だけ」となるとそれを証明しなくてはいけないから、必ず面倒な申請が必要となる。さらにはその申請が虚偽ではないかどうかを審査する段取りも加わってくる。審査するということは恣意的な運用、つまりこっちの店には支給するけれど、こっちの店には支給しない、といったことが起こりうる。恣意的な運用は不公平を生みだす元凶にもなりうるし、そのぶん不満の種にもなりやすい。

申請すればすぐにお金がもらえたとしたら、少しくらいの不満であれば払拭できた可能性はある。しかし実際には審査をするぶんかなりの時間がかかり、支給が大幅に遅れるケースが続出したことや、もともと売り上げはあってないようなものだった店でも月にすれば180万円近くが受け取れるという金額の大きさとも相まって、多くの批判を浴びせられることになった。

「考えなくていい」「手間をかけなくていい」という平等のメリットが生かされるかどうかは、そこに至る過程が「シンプルで誰の目にもわかりやすいかどうか」にかかっているのかもしれないね。

第2章

見せかけの平等が不公平を生む

農耕の始まりが不平等を生んだ

1970年代の日本社会は「一億総中流」と称されていた。

経済的な格差が今ほど大きくはなかったので、日本国民のほとんどが文字通り「中流意識」を持ち、大企業であろうが中小企業であろうが、大都市に住んでいようが地方に住んでいようが、あるいは会社のトップだろうがヒラ社員だろうが、人々はそれぞれにそれなりの豊かさを享受していた。マイホームという資産も得て、未来への希望ももてた時代だったと思う。

ところがそんな時代はもう完全に過ぎ去っている。

日本でもひとにぎりのとてつもない金持ちがいる一方で、相対的貧困率(一定の基準を下回る等価可処分所得しか得ていない者の割合)は15・4%(2018年国民生活基礎調査)、ひとり親世帯では約半数(48・1%)である実態が明らかになっているし、上位1%の富裕層が国の富の3割以上を握ると言われるアメリカほど極端ではないにしても、格差社会と呼ぶに十分な状況だと言えるだろう。

野生動物の場合、一頭が使用するリソース（資源）は必要十分な量にとどまっており、他の個体の分まで独り占めするようなことはない。

今から約1万年前のヒトも狩猟採集生活をしていたが、食物を貯蔵する術はほとんど持っていなかったと考えられる。だから野生動物と同様に、ある個体が他の個体に比べて特段に多くのリソースを使うようなことはなかったのだ。持てる者も、持たざる者も存在しないのだから、この時点では誰もが少なくとも経済的には平等だったと言ってよい。

ところが農耕の開始により、余剰食物を貯蔵することを覚えた人類は、一人当たりのリソースを増やすことに成功する。もちろんそのおかげで人口も増えただろうが、平均的には多少の余剰を残していたと考えられる。それがまさに富の起源となったのだ。

そのような余剰生産物（富）を、最初はみんなで平等に配分していたのかもしれないし、もちろん可能性としては、そんな社会形態であり続けることもできたのだろうが、現実はそうならなかった。個々人の知力や体力にはばらつきがあることや、それぞれが自己利益を追求するという生物学的な本性を考えると、時間とともに富の偏りが生じていったのは不可避だったのだろう。

その結果、少なくとも今から2000年前くらいまでには、完全に平等の国なんてなくなってしまった。ひとにぎりの特権階級と、いわゆる農奴のような階級とに二分されていくのである。

資本主義にとって不平等は〝それほど問題ではない〟

このような社会形態にさらなる変化が生まれるきっかけは、18世紀に起こった産業革命である。石炭や石油を利用するようになったことで、農作物以外の生産活動に従事する人が徐々に増え、職業の分業化が進んでいったのだ。

農民や漁民は自分が育てたり、獲ったりした食べ物があればとりあえずは生きていけるが、非食物生産者はそうもいかないので、製品や労働力をお金に換えて、食べ物などの生活必需品を得るようになっていく。このような貨幣を媒介とする取引に伴って発達したのが、資本主義のシステムなのである。

売った値段から製品を作るのに必要な原価を引いた差額が儲けとなり、この差が大きく、さらには売れた数が多いほど全体の儲けは大きくなる。

また、資本を投入して製品を買い、これを売って儲けが出れば資本の総量は増大する。その資本を元手により多くの製品を買って首尾よく売れればより多くの儲けが出るし、誰かに資本を借りて利子を払うことになっても、うまくやれば儲けは出る。それらすべて個々の自由意思に任せて行うのが資本主義の原理である。

もっともプリミティブな形態は、自ら原料を買ってきて自分で製品を作り、それを売って儲けを出すということであっただろうが、そのうち製品がどんどん売れるようになると、給料を払って人を雇い、さらに多くの製品を作るようになる。儲けの一部で機械を購入したり工場を新設したり、あるいはもっと人を雇うなどして生産性を上げ、さらなる儲けを出せるようになれば、その人はもう立派な資本家だと言えるだろう。

近代経済学の父と言われるアダム・スミス（1723〜90）は、そのような自由競争によって市場経済が発展すれば富の生産は増大し、結果的にはその富が社会の底辺にまで分配されると考えた。

ただし、彼があるべき姿として掲げているのは、国が豊かになって人々の生活水準が上がることであって、「平等な社会」の実現ではない。要するに、資本家と庶民は確かに平等ではないけれど、資本家の利潤追求活動によってみんなが豊かになるのであれば、「不平等」はそれほど問題ではないのではないか、というわけだ。

実際、富が平等に分配される社会こそが理想であるとして、すべての企業を国有にした社会主義の国々は、結果としてどこも豊かにはならなかった。働いても働かなくても給料が変わらないのなら、誰だって楽なほうを選ぶのは当たり前だ。もっといいものを作るとか、もっと生産性を上げるといったインセンティブもないのだから、経済成長などのぞむべくもなかったのだ。

表向きは平等だとしても豊かさは微塵も感じられず、しかもそれを維持するためのコントロール機能を掌握する国家が強権を発動して、言論の自由などが奪われる生活に人々の不満が爆発し、ほぼすべての社会主義国は21世紀を迎える前に実質的な機能不全に陥ったり、体制崩壊していった。政治的には共産党による社会主義を維持している中国も、経済的にはすでに資本主義化している。

そういう意味では、経済成長やそれによる生活水準の上昇を目指すうえで、資本家と庶民の間の不平等を〝それほど問題ではない〟としたスミスの考えはあながち間違いではなかったというわけだ。

資本収益率は経済成長率を上回り続けている

しかし、現代社会が抱える経済的な不平等を「それほど問題ではない」などと言う人はいない。明らかに重大な問題である。

ベストセラーとなった『21世紀の資本』（みすず書房）の著者であるフランスの経済学者、トマ・ピケティは、18世紀まで遡ってデータを分析し、資本収益率（資本や資産によって得られる富の伸び率）が年に5％程度あるにもかかわらず、経済成長率（国民の総所得の伸び率）は1～2％程度しかない実態が、ごく限られた時期をのぞいてずっと続いていることを指摘した。つまり、なんらかの資本や資産のある人はますます富み、そうでない人は相対的な貧しさから抜け出せないということだ。なお、限られた時期というのは、例えば戦争などで資本家の資産の多くが失われ、そこからの復興が大きな経済成長をもたらすような時期のことを指し、日本が一億総中流を実現させたのもまさにそのような時期のあとだった（日本におけるもう一つの要因は累進課税がきつかったことで、かつては最高税率が所得税と住民税を合わせて88％の時代があった）。

そもそもスミスの見立てでは、富は「すべて使用されるもの」だった。つまり資本家は、儲けたお金を「労働によって生産される必需品や便益品を増やす」ために使い、正当な賃金を払う。それがスミス経済学の前提であり、資本家はそのために倹約をしろとまでスミスは言っている。

資本家が儲けたお金をさらなる生産のために投じるのは、「もっと儲けたい」という資本家の利己心によるものではあるのだが、そうして市場が拡大すれば労働需要が高まって賃金が上昇するわけだから、人々の生活はおしなべて豊かになるだろうというのが彼が想定した未来だったのである。

ところが実際の未来はまるで違った。

多くの資本家、というよりもはや単なる金持ちは、ただ自分のお金を増やすことだけを考える。例えば株に投資することで1億円の資金を年に5％増やすとすると、働かなくても一年で500万円稼ぐことができる。これをさらに投資に回せば資本収益率は上がっても実体経済にはほとんど影響せず、これではそれ以外の人々の生活水準は上がらない。豊かな者が極端に豊かになるだけで、その富が低所得層に流れ落ちる「トリクル・ダウン」など起こりようがないのである。

「機会の平等」など大ウソである

日本は自由を標榜する国なので、誰もが儲けられる仕組みが整ってはいる。つまり、資産や資本がある側に回るのか、労働のみで生計を立てるのか、はたまたその両方で生活するのかは個々人の自由であり、表向きは「機会の平等」が保障されている。才覚を生かしたり努力したりすればお金持ちになれるし、バカで怠け者だったら貧乏になるけれど、機会は平等に与えられているわけだから、「それはあなたの勝手なんですよ」というわけだ。

ただし、「機会の平等」といったって、100メートル競走をするのに、ゴール直前からスタートできる人がいる一方で、本来のスタートラインよりだいぶ後ろから走り始めなければいけない人が大勢いるのが今の日本の現実だ。株を買うのは自由だけれど、大金をつぎ込んで莫大な利益を得られる人は少数で、日々の暮らしに精いっぱいで株を買う余裕などない人が大半なのだから、「機会の平等」などあってないようなものである。結果が不平等になるのも、格差が広がるのも当たり前である。

あまりに差が広がってしまうと、頑張るとか努力といったレベルで這い上がるのはもはや不可能に近い。ゴールのすぐ手前にいる人が実はサボっていることに気づいても、そこに追いついたり、ましてや追い抜いたりするなんてことは到底無理な話なのだ。

経済格差は拡大再生産される

経済的な格差はあらゆる格差の元凶だが、とりわけ教育の格差に及ぼす影響は大きい。

教育社会学者の舞田敏彦の調査によると、大学生のいる家庭の平均年収は私立が826万円、国立が839万円で、大学生の子がいる世代と想定される40代の世帯主家庭の平均である695万円や、50代の世帯主家庭の平均である756万円（すべて令和元年国民生活基礎調査の数字）と比較して、明らかに高くなっている。また、学費が相対的に安い国立大生の家庭の年収のほうが高いのは、「国立大学は入試の難易度が高く、幼少期より多額の教育投資（塾通いなど）が求められるため」だと舞田は分析している。

つまり、ある程度以上の富裕層の子どもでなければ、国立行政法人の大学に入る学力をつけられないということだ。東大生に限っていえば、その家庭の年収分布は40～50代が世帯主の一般的な家庭のそれとは大きく異なっており、半数以上は世帯年収が

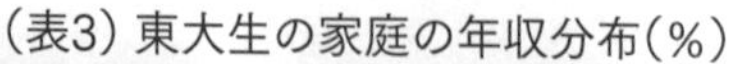

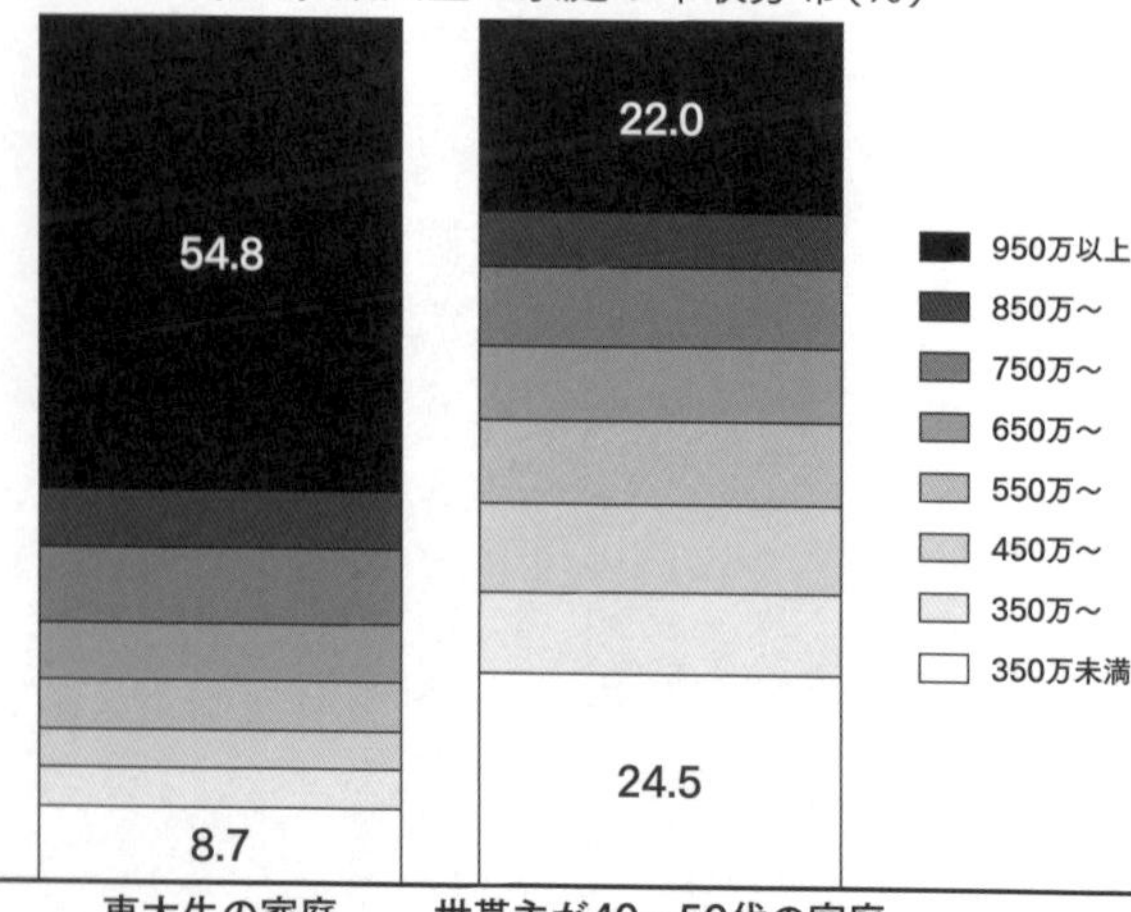

※舞田敏彦「『東大生の親』は我が子だけに富を〝密輸〟する」（プレジデントオンライン）より作成

950万円を超えているという（表3）。

ただし、これを意外な事実として受け取る人が果たしてどれくらいいるだろうか。

多くの人は、「それは当たり前だろう」と納得したに違いない。もちろんダントツに勉強ができる子なら塾も家庭教師も必要ないだろうけど、それは極めてまれなケースであり、一般的にはどれくらい教育に投資したかが、その子の学力、ひいては学歴を左右するであろうことは今の世の中を見ていれば誰だって容易に推察できる。

また、受験そのものも富裕層に有利にできている。どこも受験料はバカにならないし、それを何度も払って何校も受験できる子のほうが、そうでない子に比べて大学に進学できる可能性は高いだろう。学力以外の能力を測るとか、社会的な活動を評価するとかいう総合型選抜（旧ＡＯ入試）も、習い事や海外旅行などの豊かな経験を重ねているほうが明らかに有利なのだから、親の年収との関係は大アリだ。

だからといって大学進学を諦めてしまうと、親と同様に経済的な弱者の道を歩むことになる可能性が高い。

大学進学率が50％を超えるような社会では、大卒であることの価値自体、実はあまり高くはない。しかし、国民全体の学歴が底上げされたぶん、中卒や高卒では社会の低層に沈んだまま浮かび上がれない可能性が高い。

実際60歳までの生涯賃金（退職金を含めず）を大卒と高卒の場合で比較すると、男性の場合は約６０００万円、女性の場合は７０００万円も差のあることがわかっているのだ（『ユースフル労働統計－労働統計加工指標集－２０２０』）。その差は歴然であり、結局それが我が子の学力の格差へとつながっていくだろう。

このような「格差の再生産」によって、埋めようのない格差は埋める術を持たぬまま、そのまま拡大していくのである。

国立大学の授業料はあまりに高すぎる

だからやっぱり大学に行くしかないと奮起して、なんとか学力をつけて受験を突破したとしても、大学に入ったら入ったで授業料に頭を悩ますことになる。

私が東京教育大学（筑波大学の母体となった国立大学）に入学した1966年当時、国立大学の授業料は年間1万2000円だった。当時の大卒の初任給はおよそ3万円だったが、現在は22万円ほどになっているので、それで換算しても年間9万円程度だから随分割安であったと思う。

しかし、1975（昭和50）年には3万6000円、1976（昭和51）年には9万6000円、1978（昭和53）年には14万4000円、1980（昭和55）年に

(表4) 国立大学と私立大学の授業料等の推移

※文部科学省ホームページより作成

年度	国立大学			私立大学	
	授業料	入学料	検定料	授業料	入学料
昭和50年	36,000	50,000	5,000	182,677	95,584
昭和51年	96,000	50,000	7,500	221,844	121,888
昭和52年	96,000	60,000	7,500	248,066	135,205
昭和53年	144,000	60,000	10,000	286,568	157,019
昭和54年	144,000	80,000	13,000	325,198	175,999
昭和55年	180,000	80,000	15,000	355,156	190,113
昭和56年	180,000	100,000	15,000	380,253	201,611
昭和57年	216,000	100,000	17,000	406,261	212,650
昭和58年	216,000	120,000	17,000	433,200	219,428
昭和59年	252,000	120,000	19,000	451,722	225,820
平成8年	447,600	270,000	31,000	744,733	287,581
平成9年	469,200	270,000	31,000	757,158	288,471
平成10年	469,200	275,000	33,000	770,024	290,799
平成11年	478,800	275,000	33,000	783,298	290,815
平成12年	478,800	277,000	33,000	789,659	290,691
平成13年	496,800	277,000	33,000	799,973	286,528
平成14年	496,800	282,000	33,000	804,367	284,828
平成15年	520,800	282,000	33,000	807,413	283,306
平成16年	520,800	282,000	33,000	817,592	279,794
平成17年	535,800	282,000	33,000	830,583	280,033

(※)私立大学の額は平均値であり、年度は入学年度である。 (円)
(※)国立大学の平成16年度以降の額は国が示す標準額である。

は18万円とうなぎのぼりに上昇していく（表４）。これは国家の指導層が、資本主義には読み書きそろばんと多少の事務処理ができる知的レベルがある労働者がたくさんいれば十分だと考え始めたせいだと私は思っている。税金を使ってまで国立大学に通わせて、それなりの教養がある知識人を増やしたところで、資本主義にはたいして役に立たないばかりか、政府の政策にいちいち文句をつける、反政府分子になる恐れのほうが強い。だったら授業料を高くして、貧乏人を遠ざけてしまおうという魂胆だったのだろう。

しかし、当の一般大衆は、我が子には自分より多い収入を得させたいという夢を描いていた。そのためにはやはり大学には行かせなければと考えたので、授業料が上昇したにもかかわらず、大学進学率も同様に上昇していったのだ。

その後も財政悪化を理由に国から大学への補助金は年々引き下げられ、国立大学の授業料は２００３（平成15）年には52万８００円になっている。２００４年に国立大学法人となって以降は53万５８００円とされる標準額から一定範囲内なら独自の判断で授業料を増減できることになったため、例えば東京工業大学の２０２１年の年間授業料は63万5400円にまで膨らんでいる。

授業料が高くても、奨学金などのケアがあれば公平なのだが、2020年に始まった国の修学支援制度は、住民税非課税世帯とそれに準じる所得の家庭に限られており、相対的な低所得層まで十分カバーされているとは言い難い。奨学金の中には返済義務のあるものも多く、なかには有利子のものまで含まれるので、これはもう奨学金という名の立派な借金である。

こうなると社会人生活とともに借金返済が始まることになり、頼らざるを得なかった奨学金によってマイナスからのスタートになってしまう。大学を卒業したとしても、非正規社員などの不安定な職にしかつけなかった場合は、その借金のせいで生活はどんどん困窮していくかもしれない。経済的弱者からの脱出を目指し、必死に努力して大学に進学したことがかえって逆効果になってしまうというのは、あまりにも気の毒な話である。

そういえば、私の若いころは、大学院の奨学金をもらえるかどうかは親の収入などとは関係なく、あくまでも成績順で決まっていたと記憶している。大学院は純粋に学問をする場であることからしても、実にシンプルで理にかなったシステムだと当時は感じていたが、よくよく考えると、そのころは家庭の経済状況がいいあんばいに平等だったからこそ、それでよかったのだろう。

今も優秀な学生の授業料を免除するシステムはあるが、学力や体験の格差が、家庭の経済格差に左右される状況下では、そのような奨学金システムが果たして本当に公平なのかどうかは、なかなか悩ましい問題だね。

AI化が格差の広がりを反転させる可能性

このままほっておけば、格差がさらに広がっていくのは不可避だとピケティは言う。先に出した、資本成長率と経済成長率の差を考えれば確かにそれは間違いない。コロナ禍の中でさえ、アメリカのもっとも裕福な世帯上位1%が増やした資産はアメリカ全体の増加分の35%に相当し、一方で下位50%の世帯のそれは約4%にすぎなかったというから、この間にも格差は〝順調に〟広がっていたわけだ。

ただ、これからますますＡＩ化が進み、労働力が不要となることで、広がる一方の格差が反転する可能性があるのではないかと私は考えている。

多くの人が仕事を失うと、世の中はモノを買えない人たちでいっぱいになり、当然モノが売れなくなる。ＡＩを駆使してどんなにいいモノを作っても、それを買ってくれる人がいないわけだ。

もちろん最初のうちは日本がダメなら海外のどこかで売ればいいということになるのだろうが、遅かれ早かれＡＩ化は世界的な規模で進んでいくのだから、それが行き詰まるのは時間の問題である。

このままでは資本主義が完全に終わってしまうので、どうにかしてそれを維持しようとすれば、意図的に所得に下駄を履かせて、消費活動を喚起するしかない。例えばそれは、働いていてもいなくても、国民に一定のお金を支給するベーシックインカム制度の導入である。

ＡＩ化によって人件費はものすごく下がるはずなので、生産した製品を以前と同じ値段で売れれば、企業の儲けは膨大になる。だからそのうちの8割くらいを徴収してべーシックインカムの原資に充てればよい。国民の消費活動が活発にさえなれば、原資として供出したお金もいずれ回収できるのだから、資本家にとっても悪い話ではないと思う。毎年100の余剰の富が生産されるとしたら、ベーシックインカム80、資本家20くらいの按配でシェアすれば、国民にとっても資本家にとってもウィンウィンだろう。

すべての人に一律に支給するより、困っている人にだけ配ればいいのではないかと思うかもしれないが、誰がどう困っているのかを判断するには当然審査が必要で、そこに至るまでに複雑な証明書とか申請書とかが必要になる。不正を防ごうとすればするほど手続きは複雑になり、時間も労力もかかるのだが、皮肉なことに実は複雑にするほどややこしくなってかえって抜け道ができやすくなる。また人が審査するので、恣意的な操作をされやすいというデメリットもある。不正受給する人がたくさんいる一方で、本当に必要な人には行き届かないという生活保護の実態がそれをよく物語っているではないか。

その点、ベーシックインカムというのはすべての人に一律に支給されるという、極めてシンプルでわかりやすいシステムである。権力による差配の余地がないから、不正も起こりにくい。

ただし、もらったお金を貯め込もうとする人がいると、経済を回すという本来の目的が果たせないので、ベーシックインカムで支給する紙幣は使用期間を限定するほうがよい。ベーシックインカムの前提は、あくまで「貯める」ではなく「使う」なのだ。

人口が減るほどに格差はなくなる

少子化対策だなんだと国は人口減を食い止めようと必死になっているが、それはできるだけ安い労働力を確保してちょっとでも多く稼ぎたいという旧来型のグローバル・キャピタリズムならではの願望である。

労働をＡＩに代替させられる時代になれば、その意味においては人口が少なくたってなんの問題もない。もちろん同時に消費者も減ってしまうが、人口が少ない分、一人当たりの支給額が増え、使えるお金も増えるのだから、企業の儲けは似たり寄ったたりではなかろうか。

人口に対して原資が不足し、ベーシックインカムだけでは暮らしていけない人が続出しては意味がないのだから、ベーシックインカムを導入するのであれば、人口はむしろ少ないほうが望ましい。

2020年の世界人口は約78億人で、ほんのひとにぎりの人たちが世の中のお金の半分くらいを握っている一方で、大半の人たちにはほとんど、あるいはまったく行き渡らない。これがすなわち格差である。

そもそも経済というのは、限りある資源や資金をどう分配してどう循環させるかという話なので、極端な話、例えば世界人口が2億とか3億になれば、ひとにぎり以外の人たちにも十分に資源は行き渡る。AI化の先のベーシックインカムの導入と人口減が同時に進んでいけば、徐々に格差は解消していくのではないだろうか。

必ずしも働く必要はないとしても、それ以上に稼ぎたい人は好きに働けばいいが、誰もがそれなりに豊かに暮らせる社会においては、人より多くのお金を持つ必要はあまりない。そうなると自分だけがめつく金を儲けようなどと考える人はほとんどいなくなるように思う。

私が大学の教授だったころ、「もしも一生遊んで暮らせるお金が手に入ったらそのあとどうするか？」という質問をしたところ、ほとんどの学生が「そのあとは仕事なんかせずに好きに遊んで暮らす」と答えていた。私もその考えに賛成である。将来に不安があるからこそお金はいくらあっても足りないのであって、少なくとも暮らしに困ることはないという安心感さえあれば、ただひたすら金儲けをしたいという発想にはあまりならないのだと思う。

まあ一部には稼ぐこと自体が好きだという人もいるかもしれないが、誰もがほどほどに**持てる**社会であれば、そういう人がいたとしても格差を生むことはないだろう。一部の人たちがお金を独占し、残りの人たちはほとんど、あるいはまったく持てないというのと、お金持ちも一部にはいるが、それ以外の人たちも十分に持っているというのとでは、状況はまったく違ってくるし、そういう不平等なら、「それほど問題ではない」と思う。

遠い昔にアダム・スミスがかなり楽観的に想像していた世の中全体の豊かさが、そのときやっと実現するのかもしれないね。

グローバル化も税制も大金持ちに都合がいい

昔に比べれば歴史の変遷速度が速くなっているとはいえ、私が想像しているようなベーシックインカム時代が実現するのは、残念ながら50年から100年くらい先の話だろう。

そうなると、「一部の人たちがお金を独占し、残りの人たちはほとんどあるいはまったく持てない」という今の状況に対するさしあたっての対処も考えなければならない。

現実にある経済的格差があまりに大きすぎて、もう多くの人たちは一部の富裕層に対する羨望の眼差しを向けることさえしなくなりつつあるが、ピケティは高所得者の税負担を増やすことが格差の是正に必要であると論じている。

ただ、グローバル化が進んだ現代は、金持ちの金は国内だけで動くわけではない。

海外の株に投資したり、海外の土地を買ったりして儲けることだって自由にできるのである。

また、タックス・ヘイブン（課税が著しく軽減されたり完全に免除される国や地域）を使って税を逃れることもできるだろう。金持ちは税金徴収システムの裏をかきながら自らの富を増やしていくのだ。それを抑制するためには世界的な規模の協調が不可欠だとピケティは言っているのだが、国にはそれぞれに国家主権があるからなかなか難しい。むしろそれを助長することで儲けようとする国もあって、そこがマネーロンダリングの天国のようになっており、簡単には制御できなくなっているのだ。

そもそも日本の現行の税制自体が、富裕層に忖度していると思えてならない。

個人の所得税は7段階の累進課税だが、4000万円以上の所得に対しては一律45%である（表5）。

つまり、4000万円を超えたところからは、5億だろうが、10億だろうが、10 0億だろうが、税率は同じなのである。2014年までは所得1800万円以上は一律40%だったので、そのころに比べれば随分ましにはなっているが、この程度の改正ではとてもじゃないが、広がった格差の是正にまでは至らないだろう。

もっと問題なのは、株による収入は分離課税の対象なので、累進課税が適用されず、どれだけ儲けても税率は20％だということだ。つまり、働いて得た1億円だと住民税まで含めれば約5000万円の税金を取られるのに、株で1億円儲けた場合にはそのうちの2000万円しか取られない。これこそが、格差拡大をさらに深刻にする税制なのである。

まあ所得にしろ株の収入にしろ、その金額が膨大だからといって極端に高い税率を課したりすれば、当事者たちは全力で節税対策を講じるだろう。その道のプロをお金で雇って税制の欠陥や抜け穴をうまく使い、時にはタックス・ヘイブンも活用して、合

（表5）所得税の速算表

課税される所得金額	税率	控除額
1,000円から1,949,000円まで	5%	0円
1,950,000円から3,299,000円まで	10%	97,500円
3,300,000円から6,949,000円まで	20%	427,500円
6,950,000円から8,999,000円まで	23%	636,000円
9,000,000円から17,999,000円まで	33%	1,536,000円
18,000,000円から39,999,000円まで	40%	2,796,000円
40,000,000円以上	45%	4,796,000円

出典：国税庁ホームページ

法的に課税を逃れようとするだろうから、結果はたいして変わらないようにも思われる。

つまり、どんな複雑なシステムを構築しようとも、お金を貯め込むことに取り憑かれた亡者たちにはあまり効果がないというわけだ。

築き上げた巨大な富から派生する余剰金の大半を寄付しているビル・ゲイツのような「ノブレス・オブリージュ」が真に浸透する世界にならない限り、格差の是正など望めないのかもしれないね。

消費税は「広く公平」に課税されてなどいない

国税庁のホームページで「商品・製品の販売やサービスの提供などの取引に対して広く公平に課税される税」だと説明されているにもかかわらず、消費税に対して不公平感を抱いている人は多い。

生活必需品の購入にかかる費用が同じなら、所得の低い人のほうが家計における税負担率は高くなるのが当然なので、「逆累進性」という現象が起こるのは間違いない。ただ、それ以上に私が気になるのは、例えば1000万円の家を買うのがやっとという人にとっての10%と、1億の家を買える人にとっての10%はまるで重みが違う、という意味での不公平感である。

もしも消費税というものが、当初約束されていたように福祉のために使われるのなら、巡りめぐって自分に戻ってくる可能性が高いので、不公平感という犠牲を文字通り「払った」としても、無意味だとは言い切れない。しかし、実際のところ福祉に使ってるのは2割以下であり、残りの8割以上は一般財源に組み込まれてその使い道は煙に巻かれ、いったい何に使われているのかはわからない。国民の多くが反対するなか、開催を強行した東京オリンピック・パラリンピックのために使われた可能性だってあるというわけだ。

しかも、法人や個人事業主には消費税の納税義務が免除されるケースがある。そのせいで消費者が支払った消費税は、実はその半分以下しか国に入っていないということをご存じだろうか。

消費税の場合、仕入れの際に払った消費税と、それを売ったときに受け取った消費税の差額を消費税として国に収めるのが原則である。つまり、受け取った消費税が100万円で、支払った消費税が30万円なら差し引き70万円を納めればいいということになる。

ただし、中小の事業者に対しては、簡易課税制度がある。課税売上高が5000万円以下の事業者には、仕入れにかかった消費税をいちいち計算せず、みなしで計上してもいいという制度だ。

例えば卸売業では、課税売上高の90%が「みなし仕入れ率」である。ほかの業態でも、小売業では80%、農業や漁業では70%(ケースによっては80%)、飲食店では60%、サービス業では50%、不動産業でも40%を「みなし仕入れ率」とすることが認められている。

小売業で3000万円の課税売上高があるとすれば、受け取った消費税は300万円であるはずだ。ただし、このうちの80%(240万円)は仕入れのときに消費税として支払ったと「みなす」ことが認められているので、実際に国に納めるのは、30

0万円のうちの20%、つまり60万円でいいことになる。もちろん実際に仕入れ時に支払った消費税が例えば280万円だったときは、300万円—280万円で20万円だけ支払えばいいので、事業者は有利なほうを選択できる。

このような大甘の制度がある限り、消費税として国に入る総額が本来徴収すべき額よりも少なくなってしまうのは当然だろう。

「輸出還付金制度」で大儲けする輸出大企業

海外で販売する商品には消費税が発生しないため、仕入れの際に支払った消費税分は「輸出戻し税」というかたちで還付される。これが「輸出還付金制度」と呼ばれるものだ。

輸出で稼ぐ大企業にとってこれは非常にメリットが大きい。表向きは「仕入れの際に支払っている」ように見えても、実際には下請けの中小企業に対する買い叩きは常態化しているので、実質的には消費税分は支払っていないに等しいケースがものすごく多いからだ。そうなると、支払ったと見なされる消費税分はまるまる還付される。

２０１９年12月9日付の全国商工新聞によれば、２０１８年度の輸出戻し税の還付額は、トヨタ自動車は３５０６億円、日産自動車は１５０９億円、本田技研工業は１２１６億円にのぼると試算されている。この金額は消費税が８％当時のものなので、２０１９年10月に税率が10％になって以降は、還付金はさらに膨らんでいる可能性が高い。

もちろん、これらはすべて合法であり、彼らは不正など犯してはいない。とはいえ消費税率が高ければ高いほど得をするのは確かなのだから、財界の大物たちは消費税増税に決して反対しないのだ。

こうなると買い叩かれたほうの中小企業にものすごいしわ寄せがいくようにも思えるが、課税売上高が１０００万円以下であれば、消費税は免除されるので、売り上げ規模が小さい企業に痛みはない。ただしその場合、国には結局、何も入ってこないということになる。

消費税の回収率が半分以下というのはそれらもろもろの結果である。こんなことがまかり通っているのだから消費者は完全にバカにされていると考えたほうがいい。不公平感などという感覚的なものではない本当の不公平は、このように水面下で確実に起こっているのである。

平等に働いても賃金は不平等になる理不尽

今の日本には、働いても働いても収入が増えず、ずっと生活は苦しいままという人がたくさんいる。特に生活保護を受給するには高給すぎるとされる層の人たちは社会的な手当ても皆無に等しく、もっとも割を食っていると言ってもいい。

こうなってしまった大きな原因は、一部の人たちだけが儲かるようなシステムが出来上がってしまったことにあり、その一例が非正規雇用の増加である。

非正規雇用社員は、言わばバッファ（緩衝材）的な役割を果たす人材である。使いたいときだけ使い、不要になったら簡単に辞めさせられる彼らの存在は、不要な人件費で経営を圧迫されるリスクを回避したい企業にとってメリットは大きい。しかし働く側にとっては、正社員より気楽かもしれないが、それはいつクビを切られるかわからないという不安定さの裏返しであり、同じように働いても非正規というだけで正社員より賃金を安く抑えられてしまうというデメリットがある。

2020年4月に施行されたパートタイム・有期雇用労働法では、「同一労働同一賃金実現のための対応」が企業に求められるようになったものの、それが完全に実現されるまでにはまだまだ時間がかかりそうだ。

特にひどいと思うのは人材派遣会社による中抜きで、大手派遣会社には、賃金の半分以上を中抜きしているところもあるという。ここまでくると、派遣会社が極端に儲かるだけで、労働の対価とは言えないだろう。そもそも正当な対価を支払うという、資本主義の原則にも則っていない。

人材派遣会社に限らず、労働の対価をもっと手厚くするシステムを構築しない限り、非正規労働者は貧困から抜け出せない。例えば、会社の利益の7割5分は必ず賃金として支払わなければいけないといった法律をつくれば、最低賃金は確実に上がるだろう。

低賃金が前提のビジネスモデルでは景気が上向かない

2021年度の最低賃金（時給）は前年度比で28円（全国平均）引き上げられ、930円となった。

今みたいにデフレが止まらない状況が続けば、賃金が低くてもなんとか暮らしていけるが、そのような状況では結局、売るほうも価格を上げることができないから、世の中全体がずっと「低・止まり」してしまう。つまり景気を回復させるには、とにかくまず国民の購買力を上げる必要があるわけで、普通に考えれば賃金を上げるというのが方法としてはもっとも手っ取り早い。だから国も賃金を上げさせようと必死なのだ。

とはいえ、コロナ禍で厳しい業況にある中小企業からは、強い反発の声もあがっているという。

ただでさえカツカツでやっているところが多い中小企業に対して「賃金をもっと上げろ」と言うのは、お酒を提供することでやっと儲けを出している飲食店に酒なんか出すなとか言ってるのと同じだから、そりゃあ、ふざけるなという話になるよな。現状では、ほとんどの中小企業が低い賃金を前提に経営を回しているのだから、そんななかで賃金を上げるとなると、人を減らすか赤字を出すかしかなくなってしまい、逆効果になりかねない。

一応国のほうは、最低賃金引き上げに向けた生産性向上の設備投資や販路拡大のための取り組みに対する助成を打ち出しているようだが、苦しい経営が続く中小企業がそんなことをする余裕などないだろう。

本気で景気をよくしようとするのなら、まずは国のほうで非正規労働者に金を撒くほうがいいかもしれない。そうすれば、最低賃金を上げたのと同じ効果が期待できるだろう。あるいは生活必需品だけでも消費税を廃止するという方法もある。

もちろんそうして景気回復のスイッチが入ったのを機に、低賃金前提のビジネスモデルを見直すことが必須である。根本的な問題を放置したままでは、いつまでたっても、「低賃金―デフレ」構造から脱却できないからだ。

また、非正規労働者の割合をできる限り下げていくことも必要だ。会社の都合だけで人を雇うのではなく、ある程度以上の規模の会社は、一定の割合以上は正社員として雇わなければいけないと法律で決めてしまえば、正社員として働ける人の数も増えるだろう。

ただし、世界規模で動いているのは、金やモノだけではない。人だって簡単に国境を越えられる。今の日本で低賃金の仕事をもっとも多く請け負っているのはブラジルやミャンマーやフィリピンなどからやってきた外国人だし、日本企業が途上国にどんどん工場を造ろうとするのも、現地の労働者の賃金が日本国内より圧倒的に安いからである。

それでも自国や現地の賃金と比較すると相対的には高かったりするし、ここでもし賃金を日本人と同じ水準まで上げろということになれば彼らの多くは職を失うことにもなりかねない。つまり、何がなんでも労働の対価は平等であるべきだということにしてしまうと、彼らの多くはかえって不幸になってしまうだろう。

これも一つの例であるが、グローバル・キャピタリズムというものは、とにかくいろんな問題をなかなか解決しようのないレベルにまで複雑化させているのである。

制度上の平等と実質的な平等は違う

日本で国民に初めて選挙権が与えられたのは1889（明治31）年だが、当初は15円以上の直接国税を納める25歳以上の男子に限定され、その権利を有する者は全人口の約1％にとどまっていた。その後、1925（大正14）年には納税額の条件は除外されたが相変わらず25歳以上の男子に限られており、かつての選挙権は極めて不平等な権利だったのである（表6）。

第二次世界大戦後の1946（昭和21）年に公布された日本国憲法に先立って1945年に制定された新たな公職選挙法で、選挙権は20歳以上のすべての男女に与えられることになった。年齢の制限はあるものの、日本国民であれば、性別や収入に関係なく、選挙権は平等なのである。なお、ご存じのように年齢に関しては2015年の公職選挙法の改正に伴い20歳から18歳へと引き下げられている。

一方の被選挙権、つまり、選挙で選ばれるほうの権利も、認められる年齢に違いはあるものの、制度としては〝平等〟だ。

（表6）日本の選挙権の歴史

選挙法制定・改定年	性別・年齢	選挙権を得る条件	人口割合
1889年	男・25歳	直接国税15円以上の納税者	1.1%
1900年	男・25歳	直接国税10円以上の納税者	2.2%
1919年	男・25歳	直接国税3円以上の納税者	5.5%
1925年	男・25歳	条件なし	20.0%
1945年	男女・20歳	条件なし	48.7%
2016年	男女・18歳	条件なし	83.3%

ただ、被選挙権に関しては、真に平等かと言われたら決してそうとは言えないだろう。選挙に行くのと同じ感覚で、思い立ったら気軽に立候補というわけにはいかない。立候補するだけでそれなりにまとまったお金が必要だからだ。

例えば衆議院小選挙区の場合は、３００万円の供託金を法務局に納めなければならず、得票数が有効投票総数の10分の１未満の場合はそのお金は没収されてしまう。無責任な泡沫候補が乱立し、選挙が混乱するのを防ぐのが目的らしいが、混乱したからといってなんのデメリットがあるというのか。そんなものは被選挙権の平等を実質的に奪うことを正当化する理由にはならないし、少なくとも３００万円は高すぎる。せめて30万円くらいにすればどうかしら。

どこかの政党の公認を得れば供託金は政党が出してくれるし、膨大な選挙費用の心配もないから、金銭的な負担なしに立候補はできる。ただしそうなると当然、党の方針に従わざるを得なくなるわけだから、望ましい解決策とは言えないだろう。

そうやって立候補者を厳選する選挙で当選するのは、結局、強い地盤を持つ候補者ばかりだ。まるで世襲制なのかと思うくらいに、政治家を出す家はかなり限定されており、生まれながらにして政治家という人も確実に一定数はいる。

日本の衆議院議員定数の6割以上が決まる小選挙区制は、1選挙区でひとりしか当選しないため、引き継げる地盤や看板があるほうが圧倒的に有利である。〝厚底の下駄〟を履いた状態で出馬する人がいるのだから、それで平等な選挙と言われても納得できるはずはない。

百歩譲って資産相続は認めるにしても、地盤や看板まで〝相続〟するのはインチキだ。例えば、一定期間以上務めた議員が死亡したり引退したりしたあとの一定期間はその親族が立候補できないようにすれば、状況は随分まともになるのではないだろうか。5年もたてば勢力図も変わるだろうから、これこそが真に平等でまともな選挙システムだと思う。

しかし、現状のルールでは、選挙の仕組みを変えるのは今いる政治家の仕事なので、自己保身と欲にまみれた政治家たちが自分たちに都合が悪くなるように仕組みを変えることは絶対にないだろうね。

本来、政治家の身分に関する審議というのは、政治とは別のところでやるべきなのに、政治家の報酬や年金額だって多少の縛りはあるにしても、実質的には自分たちで決めている。このようなやり方を続けていれば、被選挙権の不平等は、いつまでたってもなくならないだろう。

第3章

人間はもともと不平等

たかが0・1%、されど0・1%

いかなるヒトもDNAは99・9%同じであり、遺伝的な違いは極めて少ない。これはつまり、AさんもBさんも（ネコやイヌやショウジョウバエではなく）、ほぼ平等に「ヒト」だということだ。

0・1%のDNAの違いは主に、SNPs（一塩基多型）と呼ばれるゲノムの塩基配列中の一塩基の変異であり、この変異と発育環境（発生初期の環境、すなわち母親の胎内の環境も含まれる）の違いにより、正常範囲内の形質や能力に違いが生じると考えられている。

SNPsと発育環境の違いにより生じる差異は、ほとんどは軽微な差異である。軽微な差異というのが具体的にどれくらいなのかといえば、背の高さや髪の色、あるいは顔つきや肌の色など人種の違いとして語られるようなレベルの違いである。確かに差異ではあるけれど、その違いがあるからといってヒトであることを疑わせるものではない。つまり「ヒトである」という事実に対してはないに等しく、取るに足らない差異というわけだ。

ところが人間社会に舞台を限定した「社会的差異」となると、それらの差異は軽微ではない。背の高さや髪の色、顔つきや肌の色は、少なくとも人の見かけの多様性を生み出しているし、日本人とアメリカ人の見かけはほとんど同じだなどと考える人はいないだろう。

また、0・1%のDNAや環境の違いが生み出す差異には「能力差」もある。

それは、例えばAさんは100メートルを9秒台で走れるけれど、一方のBさんはどんなに頑張っても15秒くらいでしか走れない、といったことだ。

このような能力差も、「ヒトである」という事実に対しては人種の違いなどと同様に、いや、むしろそれ以上にあってないような、どうでもいい差である。

しかし、社会的にはこの能力差は軽微どころではなく、100メートルを15秒で走るBさんは凡人だけれど、100メートルを9秒台で走れる人間は世界中を探しても数えるほどしかいないのだからAさんは超人ということになる。Bさんの走る能力は言及するに値しないレベルだが、Aさんはその走力で世界的に知られる人物になる可能性が高い。

そうなるとこの差は、人間が生きる社会において天と地ほどの違いがあるといっていい。だからAさんとBさんは明らかに不平等なのだ。

これは頭の良さとか運動神経などの能力に限った話ではない。

寿命の長さも、特定の病気になりやすいかどうかも、それこそCOVID－19にかかりやすいかどうかなど、ありとあらゆる面で0・1％のDNAや環境の違いに端を発する不平等が存在するのだ。

しかも今や人は、経済面をはじめとするさまざまな社会的不平等を生まれた瞬間から背負っており、それがその後のもろもろに大きな影響を与えている。だから人間というのは生まれながらにして不平等なのだと考えるほうがよい。まあ、そんなことは本当は誰もが気づいていることなんだけどね。

「働く働きアリ」と「働かない働きアリ」

日本で行列をつくって歩いているアリの中に「アミメアリ」という種がいる。実はこのアリは多くのアリの種の中でも非常に珍しい特徴を持っている。

まずアミメアリにはオスが滅多にいない。アミメアリは交尾を必要としない単性生殖なので、卵を産むのにオスは必要ないのである。

では、まれに生まれてくるオスは何をするのかといえば、何もしない。働きもせず、交尾もしない。ただその辺をうろうろして、そのうちに寿命をまっとうして死んでしまう。果たしてなんのために存在するのかは、今のところまだ解明されていない。

メスしかいないアミメアリには、実は女王アリもいないので、滅多にいないオスのアリ以外はすべて働きアリである。

ところがその働きアリの中に「働かない働きアリ」という個体が存在する。メスなので卵は産むが、「働かない働きアリ」は子どもの世話も、エサを運ぶこともしないので、結局ほかの「働く働きアリ」がせっせと面倒を見ることになる。もともとアミメアリの働きアリには、自分の子、他人の子を区別することなく、みんなで育てるという生態があるからだ。

しかも、単性生殖であるがゆえに、「働かない」という特徴も遺伝する。つまり、「働かない働きアリ」の子どももまた「働かない働きアリ」へと立派に成長する。働く働きアリがどんなにせっせと育てようとも、「働く働きアリ」にはならないのだ。

さらにやっかいなのは、「働かない働きアリ」は働かないぶんエネルギーが余っているので、ほかの働きアリよりもたくさん卵を産むということだ。そのせいで気がつけば巣の中が「働かない働きアリ」でいっぱいになり、「働く働きアリ」は働きづめになって、やがて過労死してしまう。「働かない働きアリ」は仕方なく、別の働きアリの巣を探して、運がよければ今度はそちらに寄生する。それでも種が絶滅しないのは不思議だが、「働く働きアリ」だけで巣を新設する頻度が、「働かない働きアリ」に乗っ取られる頻度より多いのだろう。

これを理不尽と言わずしてなんと言えばいいのだろう。人間も確かに不平等ではあるけれど、少なくともアミメアリに比べればまだだいぶマシなのではないだろうか。

平等な授業が落ちこぼれをつくる

アミメアリほどではないにしても、人間が生まれつき不平等なのは避けようのないことで、こればっかりは仕方がない。

ただし問題は、世の中の仕組みの中にはあたかも人がもともと平等であるかのようなフリをして成立しているものが山ほどあり、そのせいでさらなる不平等がもたらされていることだ。

日本の場合、公立の小学校や中学校では、明らかに支援を要すると判断されない限り、同じ学校であれば、基本的には全員が同じ授業を受けている。

しかし、はっきり言って人の頭脳は平等ではない。また、持って生まれた能力がどう顕現するかには幼児期における教育環境や経験の違いが大きく関与するので、小学校に上がるころにはその差が歴然となっている可能性もある。

受け手のほうに差があるのに同じものを与えれば、ますます差が大きくなってしまうのは当然である。教師がどれほど精魂込めて教えたところで、一律の授業で平等の成果はありえないのだ。

平均的な能力の子の場合は、授業の速度ややり方がちょうどよく能力に見合う可能性が高いので困ることはないだろうが、そのレベルに達していない子はそうはいかない。教師の話はちんぷんかんぷんで、ますます落ちこぼれてしまうのは目に見えている。

だからといって落ちこぼれそうな子のほうにレベルを合わせてしまえば、平均的なレベルの子どもたちが時間を持て余すことになるので、それはそれで具合が悪いということになる。日本の公教育は平均的な者にもっとも手厚く、平均的な者がいちばん得をするようにできているのだ。

本当だったら習熟度別にクラスを編成するほうが合理的だし、結果的には公平なのだけれど、そうやって序列をつけるようなことをすると、いじめとか別の問題が生じてくる。普通がいちばんという感性が子どもにまで浸透している日本では、平均的とされるレベルから少しでも下だという烙印を押されると、一気に生きづらくなってしまうのだ。

親の見えもあるから、お金がある家の子は下のクラスにならないよう、塾やら家庭教師やらの力を借りようとする。その結果、下のクラスにカテゴライズされるのは、塾や家庭教師に頼る金銭的余裕がない家の子たちばかりということになりかねない。そうなると子どもたちは早々に学校という名の「格差社会」を生きることになってしまうから、やはりこれもいい方法とは言い難い。

能力の不平等はやり方次第で挽回できる

そもそも学力面で格差が生じてしまう理由は、教えるレベルうんぬんの問題以前に、なんでもかんでも一律に教えようとするせいだと思う。得意なことだけでなく、不得意なことまで勉強しなければならないとなると、余力が相当ある子でなければついていけない。

全員に平等に教えるのは、法律とか税制とかカラダのこととか、生きていくのに最低限必要な基本的なことだけにして、あとはそれぞれ自分の好きなことを学ばせるほうがずっといいと思う。

人間というのはもって生まれた自分のキャパシティを超えて活動することはできないし、キャパシティの一つであるＩＱ（知能指数）は、遺伝的に６～７割が決まっているとされる。

ただし、そのようなキャパシティをどこまで具現化できるかはあくまでも本人次第なのである。たとえ生来のキャパシティ自体は小さくても、その大半を具現化させることができれば、大きなキャパシティを生かしきれてない人より相対的に高い能力が発揮できるというわけだ。

例えば超難関校として知られる東京の筑波大学附属駒場中・高等学校（筑駒）は卒業生の半分以上が東大に入る。しかし、この学校に入ることが万人にとってのベストでは決してない。必死に勉強してなんとか合格できたとしても、周りは秀才だらけなのだから、もともと勉強の才能がない場合はどんどん置いていかれて、かえって不幸になることもあると私は思う。

成長するにつれどうやら自分は机上の秀才ではないなと感じるようなら、例えば研究者を目指すとしても机に向かう勉強のほうはほどほどにして、実験したり、フィールドで調査をする感性を伸ばすほうが絶対にいい。

受験に役立つ才能は、あらかじめ決まっている正解になるべく早く到達する能力だが、実験やフィールド調査で発揮される才能は試行錯誤しながら正解を探す能力なので、まったく質が違うのだ。

本当に大事なのは、型にはまった一流を目指すことではなく、自分が得意なことを見つけて、そこをうまく伸ばしていくことだと思う。

そうやって、自分自身の能力を最大限に生かすことができれば、生まれながらの不平等にだってうまく折り合いをつけられるだろう。

何よりそれが人生を楽しく前向きに生きるコツなのである。

平等主義の教育ゆえに天才が伸び悩む危険性

平均的なレベルの子に合わせた教育システムは当然ながら、生まれながらにして平均より高い能力のある子まで被害者にする可能性がある。

「歴史上最高の数学者」と呼ばれるカール・フリードリヒ・ガウスは、小学1年生のとき、教師が子どもたちに自習させるつもりで出した「1から100までの数を全部足しなさい」という問題を一瞬で解いてしまったという。

普通の小学1年生なら、1＋2＋3＋4＋5……と順に足していくだろうが、ガウスが選んだのは1＋100＝101、2＋99＝101、3＋98＝101……というふうに、1から100までの数を外側から順に足すというやり方だった。これを50回繰り返すのだから、101×50＝5050という答えはすぐに導き出せる。これを小学1年生にして思いつくのだから、まさに天才である。

ガウスほどではなくても、人並み外れた才能を持った子というのは一定数いる。そういう子にとっては小学校レベルの勉強などたやすいだろうから、本来であれば、もっと難しい問題に挑むチャンスをたくさん与えるべきなのである。

例えばアメリカでは、州によって違いはあるものの、基本的には能力に応じた学年に子どもを配置する方針が取られている。次の学年に進級するレベルに達していないと判断されれば留年する可能性もあるが、逆に優秀だと認められれば小学校を早々に卒業したり、飛び級で大学に入学することもできる。「ギフテッド」と呼ばれる突出した才能に恵まれた子を国を挙げて支援する環境が整えられているのだ。

しかし、年齢に応じた〝平等〟な教育を貫く日本では、飛び級が認められるのは、千葉大学などごく一部の大学と大学院だけで、少なくとも義務教育過程では一切認められていない。だから授業がどれほど物足りなくても、学校にいる時間はただ我慢するよりほかはない。これは大いなる時間の無駄遣いだし、場合によってはそのせいで類いまれなるキャパシティを生かしきれない危険性だってある。能力を無視した「平等バカ」なシステムのおかげで、せっかく稀有な才能があっても宝の持ち腐れになりかねないのだ。

つい最近のニュースでは、どうやらようやく日本でも、「ギフテッド」の教育支援について文科省が検討し始めたらしい。とはいえ、これから2年もかけて検討するとのことなので、その間も時間は無駄に流れていくのだろうね。

平準化は教育になじまない

教育システムをどう構築するかについては、素人から専門家と称する人まで多様な人が入り乱れてさまざまな意見を発表している。傾聴に値する興味深いものもあるが、一見正論そうに見えてくだらないものも多い。

少なくとも言えるのは、統制、杓子定規、プログラム、平準化といった概念装置は、教育にはなじまないということだ。人間にはそれぞれ異なる個性があるのだから当然である。

しかし実際には、授業内容は遺漏がないようすべて教えろとか、必ずこの教材を使えとか、こういう手順を踏んで教えろとか、教師のやる気を失わせる統制があまりにも多すぎる。人間は機械ではないのだから、プログラム通りに誰もが平等に同じことができるはずはないし、やる意味もないと思う。

教えるほうも教わるほうも人間なのだから、一律を求められても、そもそもうまくいくはずがない。教科書に書いてあるようなベーシックな部分を押さえたうえであれば、そこから先はそれぞれの裁量で進めてもかまわないようにするほうが子どもにとっても興味深い授業になるのは間違いない。あらかじめやることが統制されていて、何年も前から同じことを繰り返すだけの授業が面白いはずはないのである。

もちろん中には、独自のやり方を試みようとする気概のある教師もいるだろう。ところがそうすると、自分の子のクラスの授業内容がほかのクラスと同じでないことに文句をつけ、「全クラス平等にしろ」と親が学校に乗り込んでくることがあるらしい。あるいは、他のクラスと違うことをやろうとする教師に対して、勝手なことをするなと横槍を入れてくる教師もいるそうだ。そういう平等主義を振りかざすバカな親や教師のせいで、授業がつまらなくなったり、勉強する気がなくなってしまうとすれば、かわいそうなのは児童生徒である。

真の学問に「シラバス」など不要である

大学においても1995年ごろから「シラバス」(教師が学生に示す授業計画)の

作成が当たり前になってきて、２００8年からは事実上義務化されている。これもまた予定通りに講義をすれば、教育の成果が上がるに違いないという呆れた短絡思考によるものだ。

私自身の長年の経験からしても、講義や講演で聴き手の関心を引くのは、その場で考えた話とか、仕入れたばかりで私自身が面白いと感じていた話をするときである。私は学生を教育しようなんて思ったことは一度もないけれど、少なくとも興味を持てないことからは何も学べないことはわかりきっているので、その時々でいちばん興味を抱かれそうなトピックを交えることは心がけていた。それを学生がどこまで理解していたかは知らないけどね。

だからシラバスなんてバカバカしいとは思っていたが、書かずに抵抗し続けるほどの根性はないし、なぜ出さないのかと大学からうるさく言われたりするとそれはそれで面倒だから、最初の年は私も一応書いて提出した。次の年からはそれをコピペしたもので乗り切ったが、そうこうしているうちにそもそも自分がシラバスに何を書いたかなど忘れてしまったので、おそらくシラバスからははるかに離れた講義をしていたと思う。それでも特に大学から文句を言われることはなかったよ。

さらによくわからなかったのが、学生による講義の評価である。学年の終わりになると学生にアンケート用紙を配り、教員の話し方が適切だったかとか、学生に理解させるための工夫をしたかとか、シラバスに則った授業だったかなどの項目に何段階かで評価させ、その結果が担当教員にフィードバックする、というものだ。

そもそも、このようなアンケート結果が高評価であることと、学生にインパクトを与えたかどうかは別の話だ。相手は生身の人間なのだから、何に魅力を感じ、何に触発されるかは、マニュアルのような表面的な形式の彼岸にある問題なのである。

私にとっては理論書を書くとか講義をするとかは、正直にいえば自分自身の楽しみの副産物のようなものだ。それでも私の本を読んだり、講義を聞いたりして、何か悟るものがあったと思われる学生たちも少なからずいて、私の理論を基に自分の研究を発展させた者もいた。学問とは本来そういうものなのである。

家庭の経済状況に教育が左右されてはいけない

私は日本でもっとも過激なリバタリアンの一人なので、相続制度はなくしたっていいと思っている（詳しくは拙著『正しく生きるとはどういうことか』をご参照ください）。

誰かが残した財産は国が全部没収して、みんなに分配するようにすれば、経済的格差やそれに伴うさまざまな格差なんかすぐになくなるだろう。とはいえ、お金持ちの立場からすれば、自分が稼いだ金が全部国に巻き上げられるなんて許せないということになるのだろうね。

確かに自分を支えてくれた女房や子どもに遺産を残したいという気持ちはわからないでもないし、いざとなったら私自身もそれでは困るかもしれない（笑）。まあ、どっちにしろ、そういう話にはならないだろうけどね。

ただし、生まれた家庭の経済状況の不平等が一生ついてまわるようなことは決してあってはならないと思う。見どころのある子は、家庭の経済状況にかかわらず高校や大学に必ず行けるようなシステムをつくらないかぎり、国力だって上がらない。

一生懸命に勉強すれば学費をすべて出してもらえるというのなら、家庭が貧しくとも必死で勉強する子も出てくるだろう。そういう子が将来、次のパンデミックのときに特効薬を開発する逸材になる可能性だってあると思う。

一般家庭でもそうだろうが、国レベルで考えても、教育というのは究極の先行投資である。目先のことにしかお金を使わないことがどんな結果をもたらすのかは、今回のパンデミックで嫌というほど思い知ったはずだ。だからこそ、将来を見据え、自由に教育を受ける機会を誰にも「平等」に保障するための投資は惜しまないでいただきたいと切に願うが、今の政府には馬の耳に念仏かもしれないな。

男の本性も女の本性も存在しない

1990年代後半あたりから、「ジェンダー」という言葉がさかんに聞かれるようになった。「ジェンダー」とは社会的・文化的に形づくられる性のことで、生物学的な性である「セックス」とは区別される言葉である。

つまり「ジェンダー平等」とか「ジェンダーフリー」というのは、社会的・文化的な性によって役割を押し付けたり、それによる差別があってはならず、誰もが平等であるべきだという主張なのである。また、性差そのものをないものにしようとするのが「ジェンダーレス」という考え方だ。

少なくとも、男だから（女だから）こうあるべきといった考えは、厳密にいえば生物学的にも間違っていると思う。なぜなら男と女というのは決定的に二分法的に分かれているわけではないからだ。男の本性、女の本性といったものは存在せず、男であろうと女であろうと、確固たる同一性などないのである。

学校の授業レベルでは、生物学的な性は染色体の組み合わせで決まる、つまり、ＸＹの組み合わせなら男、ＸＸの組み合わせなら女になると教えられるが、実際はそう単純な話ではない。

ＸＹという組み合わせで「一般」に男になるのは、Ｙ染色体には精巣決定遺伝子と呼ばれる領域（ＳＲＹ／Sex-determining Region Y）があり、そこに「男になるための重要な情報」が存在しているからだ。

ところが減数分裂（卵と精子が形成される過程でみられる染色体数が半減する細胞分裂）の際に遺伝子の組み換えが生じ、X染色体上にSRYが存在する精子がつくられることがある。

そのようなX精子と受精した卵は「男になるための重要な情報」を有しているので、たとえXXという組み合わせでも男に発育する。逆にSRYをXに取られたY精子は、「男になるための重要な情報」を失っているのだから、XYという組み合わせになったとしても女に発育するわけだ。

かくも複雑な性の決定までの道

ただし、いずれにしろここまでは、あくまでも染色体の組み合わせとしての性の話であり、性の発現システムはここで終わるわけではない。その存在の有無によって男か女かを決めるかのように思われるSRYがつくり出す物質というのは最初のスイッチにすぎないのだ。

そのスイッチを皮切りに連鎖的にほかのさまざまな遺伝子にスイッチが入ったり、逆にその発現が抑えられたりして、そのような遺伝子たちの一連のオン／オフ（遺伝子カスケード）の結果として男がつくられる。つまり、男に発育するために必要な遺伝子はX染色体にも、性染色体以外の常染色体にも実はたくさん存在しているのだ。

SRYは受精後7週くらいに発現して、しばらくすると不活性化するが、SRYがあるということだけで必ず男に発育するわけではない。何らかの介入があってSRYが働かなかった場合や、男性ホルモンに反応するレセプターをつくる遺伝子がうまく働かない場合にも、身体的な性（体のみてくれ）は女になるのだ。

そうした身体的な性は受精後8週くらいまでには決まるのだが、心の性は5か月くらい経過しないと決まらない。

脳の構造から発すると考えられる心的なアイデンティティとしての性は、一般には身体的な性とパラレルに決まるのだが、発生の途中で時に食い違いを起こすことがある。

例えば、脳の視床下部の少し上のところにある分界条床核（ぶんかいじょうしょうかく）という領域が大きいと性自認が男となり、小さいと性自認が女になると考えられているが、身体的な性が女であっても発生の過程でそれが大きくなる人がいて、その場合は心的なアイデンティティとしての性が男に近くなることがわかっているのだ。

また、男を好きになるか、女を好きになるかという性的指向は前視床下部間質核の大きさと関係があるようで、ここが大きい男性は異性愛者に、小さい男性は同性愛者になると考えられている。

性パターンは果たしていくつあるのか？

人間にとって、性に関するカテゴリーは少なくとも3つある。1つめは染色体の組み合わせとしての性、2つめは遺伝子の発現システムの結果としての身体的な性、3つめは心的なアイデンティティとしての性である。

一般的にはこの3つはパラレルに発現するが、それぞれが独立して発現することもある。だから、2×2×2と見積もっても理論上は8通りの組み合わせがあるというわけだ。

しかし実際には、それぞれが完全に二分極化するわけではなく、中間のバージョンもあるので、性パターンが実際のところいったい何パターンあるのかはわからない。とにかく「たくさん」あることだけは確かである。

だから体と心の性が一致しないとしても、それはもともといくつもある性パターンの一つにすぎず、決して病気なんかじゃない。「性同一性障害」などというもっともらしい名前をつけ、障がいの一種として扱おうとするのは、「世の中には男と女しかいない」という二分法に社会がとらわれているせいである。

もちろん、さまざまな性パターンを並べてみれば、「平均的な男」あるいは「平均的な女」というのは統計的な概念としてはあるのかもしれない。ただし、どれがもっとも男らしく、どれがもっとも女らしい、といったものは存在しない。

「男として」括られる人の中にも、あるいは「女として」括られる人の中にも、もっと言えば「どちらでもない」と括られる人の中にも必ず違いは存在する。エピジェネティック（後成的）に決まる性パターンというものは個々人によって微妙に異なっているのだ。

性的な特性は出生時までに決定している

性パターンの決定要因は遺伝子の組み合わせと発生時（具体的には受精卵から胎児へと成長する過程）での環境である。

だとすれば、性的な特性は出生時にはすでに不可逆的に決定されていて、ひとたび生まれてしまえばその後の環境は性パターンの決定には重大な影響を及ぼさないと考えるのが自然であろう。

換言すれば、出生時に決定されている性パターンを出生したあとに変更するのは、極めて難しいということだ。

生活習慣上の、例えば身に着ける服やしゃべり方、髪型などの男と女の差異は出生後の文化的な影響によるところも大きいだろうが、性的パターンそのものは心的なものを含め、そのような文化的なバイアスからは独立して決まる。だからどちらのジェンダーにフィットしやすいかは、生まれたときにはほぼ決まっているのだと私は考えている。

つまり、女として育てられるから女らしくなったり、男として育てられるから男らしくなるのではなくて、生まれたときの脳の構造により心的アイデンティティとしての性が決まり、それがジェンダーにうまくフィットするかどうかが問題なのだ。もちろんここで言う女らしさ、男らしさというのは、「そうでなくてはならない」というものではなく、「平均的な女の人や男の人がたまたま共通してもっている特性」とでも言うべきものである。

もしも心的な性が、生まれたあとの環境に左右されるのなら、少なくとも「性同一性障害」などと言われる障害は育て方で矯正できるはずだ。身体的なみてくれが男であっても心の性は女である人が、男として育てられることに大きな違和感や苦しみを抱くのは、環境によってそれを変えることなどできないという何よりの証拠であろう。付言すれば、「性同一性障害」という命名は障がい者でない人を障がい者であると決めつける不適切なコトバだと思う。

我が子が「性同一性障害」だと診断されたり、本人の口から体のみてくれとは異なる性自認を打ち明けられた親は、自分の育て方が悪かったせいではないかと悩んだりするかもしれないが、それは絶対にあり得ない。どの性パターンに落ち着くかは生まれつき決まっているのだから、出生後、どう育てようと結果は同じなのである。

表面的なジェンダー平等ではむしろ生きづらい

誤解を恐れずに言うならば、性パターンによる、何かに対するある程度の向き／不向き、あるいは指向というのは明らかに存在すると私は思っている。小さな子どもにはジェンダーという概念はないが、強制しなくても平均的な男の子はピストルなどのおもちゃを好み、平均的な女の子は人形やぬいぐるみで遊びたがる。全員が必ずそうだというわけではないが、そういう傾向があることを誰も否定はしないだろう。

だから、「男ができることは女もできるだろう」とか、「女ができることは男もやって当然だ」ということになると、それはそれでやっかいなのだ。表面的なジェンダー平等というものが、むしろ生きづらさにつながることは十分ありうる話で、そうなるといったいなんのためのジェンダー平等なのかがわからなくなる。

例えば料理や子育てなどは、一般的には女の人のほうが上手だと思う。それは、社会的、また歴史的にそういう役割を与えられてきたせいだとフェミニズムの人は主張するのだろうが、私はそう思わない。女の人というのは平均値として（決してすべてという意味ではない）、生まれながらにして料理や子育てに向く、なんらかの能力を備えているに違いないのだ。

一方、力仕事などは、これも平均値としてではあるが、身体的特性からしても男のほうに向いている人が多いのは間違いないし、数学者や論理学者、あるいは哲学者に男が多いのも脳の仕組みと無関係ではないと思う。

ただし、しつこく繰り返すが、これはあくまでも男や女の平均値としての話である。たまたまボリュームゾーンがそこにあるというだけの話であって、女なら料理や子育てができて当然で、男には家事が絶対に向かないと言いたいわけでは決してない。

ここまで話してきたように、男の本性、女の本性といったものは存在しないのだ。だから女であっても料理が苦手な人はいるし、男であっても育児が得意という人はもちろんいる。著名な男性の料理人だってたくさんいるよね。

世界的な免疫学者でエッセイストでもあった多田富雄（故人）は料理がかなり得意だったようだし、私の構造主義生物学の師で食通としても知られた国際的な分子生物学者の柴谷篤弘（故人）も、料理好きが高じて77歳のときに『柴谷博士の世界の料理』（径書房）というレシピ本まで出版している。

「もともと平等」というのは幻想である

「本来は平等であるはず」という幻想ベースでは、真の意味でのジェンダー平等は実現しない。

ジェンダー平等を声高に叫ぶ人に限って、何から何まですべて平等に分担すべきだ、などと主張する。しかし、もともとの能力は生まれつき不平等なのだから、それを無視してすべてをとにかく平等にしようとすると、もともとの不平等がそのまま結果に直結する。つまり大事なのは、男女はもともと（同一ではないという意味での）不平等なのだという前提から始めることだ。

例えば、世の中の平均値に近いタイプの男の人と女の人の夫婦がいて、家事を平等に分担すると仮定しよう。

平均値であるとすれば、この夫婦は女の人のほうが家事は得意だと予想されるので、男の人のほうの負担感のほうが高くなる。なんとか頑張ってやったとしてもおそらく仕上がりはイマイチで、それを見た女の人がイライラしたり、ムカついたりするということは十分に起こりうるはずだ。あなたの家庭でもそんな心当たりはないだろうか。

もちろん慣れとか経験の差による部分もないわけではないし、「今までやってこなかったからできないのだ」と女の人は文句を言うだろうけど、平均的な男の人が生まれ持った家事能力が、平均的な女の人のそれより低いことの影響は決して小さくないと私は思う。私も家事がまったくできないわけではないけれど、例えば料理をするときのカミさんの手際の良さを見ていると、ああいう能力は長年の経験によって培われたものなどではなく、天性のものと確信する。

料理上手として先に紹介した多田富雄は「主婦の脳」(朝日文庫『独酌余滴』に収録)というエッセイで、奥様が入院されて家に一人残され、日常生活に四苦八苦する様子を描いている。「妻がいてもお客様が来れば料理の腕を振るう」ほどの腕前だったはずなのに、自分ひとりでやるしかない状況になっただけで、「まず何をするにも時間がかかって、能率が悪い。たかが朝食と言いながら、トーストを焼いてバターを探しているうちに牛乳が吹きこぼれる。ガス台を掃除するのに十分もかかる」という羽目になったというのだ。

柴谷先生の件のレシピ本のあとがきにも「四半世紀近く台所を一緒に使い、買い出し、料理とあとかたづけの実践の中で助言・批判をし、また諸外国・日本各地の料理店での経験をわかちあってくれた伴侶・眞佐子との共同作業」という言葉が見られるので、どちらもおそらく奥様あっての料理自慢だったということだろう。やはり一般に女の人のほうが家事をする才能に恵まれているのだ。

ただし、だからといって、それは男が家事をやらないことの言い訳にはならない。

そのような不平等を是正する方法はいくらだってあるからだ。

真のジェンダー平等を実現する方法

その一つはシステムづくりである。

例えば、家庭内で分担の割り振りを、得意不得意のバランスを考えたうえで、6対4とか、7対3くらいにするのも立派なシステムの一つである。あるいは、力のいる仕事は男の人が多く担うようにして、繊細さが必要な仕事を女の人が多く担うといった方法もあるだろう。

表面的には不平等に見えるかもしれないが、それぞれの能力や特性を加味すれば、結果的には平等だと私は思う。そのほうが間違いなく効率がいいし、お互いのストレスも小さくなって家庭は円満になるはずだ。もちろん、男の人のほうが家事が得意なご家庭とか、女の人のほうが力があり、男の人のほうが繊細なタイプというご家庭だってあるだろうから、そこらへんはうまく調整すればいいと思う。

同じことは会社での仕事配分にも言えることで、男も女もまったく平等にするよりも、それぞれの特性を考慮して、「結果平等（公平）」を目指すほうが圧倒的に働きやすいと思う。

ただし会社の場合は家庭と違って多種多様な人がいるのだから、男だから、女だからと雑に割り振ってはいけない。性パターンが個々人によって微妙に異なっていることを考えれば、性差というより「個性差」を考慮するほうが合理的であろう。

また、性差だけに限らない不平等の是正には、テクノロジーも貢献する。

最近は掃除をやってくれるロボットなど、家事をどんどん楽にする家電がいろいろと開発されている。それを使えば家事が苦手な人でもやれることはたくさんあるし、女の人に偏りがちだった家事の負担自体をなくすことだってできるだろう。

昔は大型ダンプといえば運転手はほとんどが男だったのに、最近は女の人でもカッコよく運転している。それは腕力のある女の人が増えたせいではなく、パワステが装備されるようになったおかげなのだ。

ジェンダー平等もジェンダーレスも、平等という形ばかりの風呂敷を広げるだけでは実現しない。大事なのは不平等を「ないもの」にすることではなく、さまざまなシステムづくりやテクノロジーを活用しながら生来の不平等を是正することである。

あるべき男の姿や、あって当然の女の役割などが存在しないのと同様に、「もともと誰もが平等だ」というのもまた、幻想なのである。

スポーツ競技とトランスジェンダーの賛否両論

なんでも東京オリンピック・パラリンピックは「ジェンダー平等推進のための積極的な取り組み」を進める大会だったそうで、レズビアンやゲイ、トランスジェンダーなど性的少数者（LGBTQ）であることを公表して参加する選手が過去最多の160人を超えたらしい。

なかでも注目されたのは、重量挙げ女子87キロ超級でニュージーランド代表として参加した43歳のローレル・ハバード選手だ。ハバード選手は性自認が女性のトランスジェンダーである。30代のころにホルモン治療を受けており、「大会の1年前から男性ホルモンのテストステロン値を基準以下に保つ」などのIOC（国際オリンピック委員会）の規定をクリアしたため、女子選手として競技することが認められたのだという。

この判断が公平かどうかについては賛否両論あるようだが、確かにこれは難しい問題だ。女性として競技したいというのは、女性として生きたいという気持ちの延長上にあるのだから当然尊重すべきだし、それは受け入れたほうがいいとは思うけれど、そもそもスポーツにおいて男女をカテゴライズしているのは、男女の身体的な不平等を公平化するためだ。2021年8月2日付の朝日新聞によると、「国際スポーツ連盟は、ホルモン治療を経たトランスジェンダー女性が一般の女性に比べてスポーツのパフォーマンスで有利だと証明する科学的な証拠は現時点では存在しないとの見解を示している」そうだが、男性ホルモンの値が下がったからといって、筋力や瞬発力といった運動能力が女性に等しくなったとは考えにくい。重量挙げという種目の特性を考えても、トランスジェンダーでない他の女子選手より身体的優位性があるのは否定できないだろうから、疑問視する意見が出るのも無理はない。オリンピック本番でのハバード選手は失敗を重ね、記録なしという結果に終わったようだが、もしもメダルを取っていたら、侃々諤々の議論になっていたことだろう。

また、今回のオリンピックでは性別適合手術を受けたかどうかは問わず、テストステロン値のみで男子か女子、どちらの競技に出場できるかを判断したそうだが、その影響で生まれつきテストステロンの血中濃度が高いナミビアの女性選手2人が、陸上400メートルに女子として参加することができなかった。

どうやらそもそも世界陸連の定めでは、テストステロン値が生まれつき高い女性選手は薬を服用するなどしてその値を下げなければ400メートルから1マイル（約1・6キロ）の種目において国際大会に出られないことになっているらしい。そのせいで南アフリカの女性選手キャスター・セメンヤは女子800メートルで五輪2連覇中だったにもかかわらず、東京オリンピックへの出場を禁じられ、それを不服としてスポーツ仲裁裁判所に提訴したものの結局、敗訴している。ここまでややこしくなると、ホルモン値での判断が果たして公平なのかどうか、ますますわからなくなる。

ただ、厳密には、男女の二分法自体が完全に公平だとは言えない。すでに述べたように、男女の特性と言われるものはあくまでもボリュームゾーンがそこにあるというだけの話であって、女性でも男性並みの身体能力を生まれ持った人は確実にいる。逆もまた然りである。

さらにいえば、筋肉の質は遺伝子レベルでかなりのところまで決定されるので、例えば瞬発力は、遺伝的には、平均的日本人より平均的ジャマイカ人のほうに分があると思う。つまり短距離走に関していえば、一般的には日本人よりジャマイカ人のほうが有利というわけだ。身体的特性からいえば、一般的な日本人は長距離のほうが向いているが、42キロ程度の距離では圧倒的な優位性を発揮するのは難しいかもしれない。100キロくらいの距離を走るのならかなり期待できると思うが、さすがにそこまでの超長距離種目は誰もやりたがらないだろうな。

男子と女子を身体的特性の違いを根拠にカテゴライズしているのなら、このような個別の差異まで考慮するのが筋といえば筋だけど、そんなことを言い始めたらキリがない。いっそ、男女別にしない「ノンバイナリー」でやればという考えもあるが、するとメダルは男ばかりになり、それはそれで問題だろうね。そこまでいくと、メダルは無しでもいいかもしれない。いずれにせよ、才能＋努力、そして運の総量で競うしかないだろう。

もちろんオリンピック選手ともなれば、血のにじむような努力なしにその舞台に立つことはできないだろうが、その努力を効率的に花咲かせる人と、そうでない人がいるのは間違いない。ゲノム編集の技術が進んだ現代において、遺伝子ドーピングの懸念がささやかれ始めているのはそのせいである。

女子の合格基準点が男子より40点高いのは公平か

東京都は全国で唯一、都立高校の全日制普通科の定員が男女別に設けられている。そのせいで男女の合格最低点に差が生まれ、女子のほうが高くなる傾向があるのだという。なかには女子の合格基準点が男子より40点以上高いケースもあったようで（2020年度の場合）、あまりに不公平だという声があがっているようだ。

定員が同じなのに合格基準点に差がつく理由は、男子より女子のほうが学力が高い子が多いことの表れである。もしも男女別定員制をやめてしまえば、都立高校に合格するのは女子生徒のほうが多くなるのは間違いない。

男女同数を前提にトイレなどが作られているといったハード面の問題のほか、東京都の場合は特に、都立高校に女子を取られてしまうと、私立の男子校の倍以上も存在する私立の女子校の生徒が減ってしまうという事情もあるらしい。まあ、その辺はあくまでも大人の事情であるのだから、それで納得しろというのは女子生徒には酷な話だよね。

ただ、合格基準点に差があるほうが案外公平かもな、と私が感じている理由は男女の成長スピードに差があることだ。

一般的な話として、女子のほうが心身の成長が早い。高校受験に挑む15歳くらいだと、おそらく知力も平均的には女子のほうが高いのではないだろうか。つまり、その時点だけを切り取ると女子のほうの合格点が高いというのは確かに不公平なのだけど、そこに至る背景なども加味すれば、必ずしもそうとは言えないというわけだ。

少なくとも同じ土俵で戦わせてしまうと、成長の遅い男子のほうが不利かもしれない。そういう意味では男女でそれぞれに定員を設け、男子は男の子同士、女子は女の子同士で競わせるのはよい方法なのかもしれないね。もちろん、個人差はあるから、どちらにしろなかなか難しい問題ではある。

その後、男子は急激に成長するので、18歳くらいになると知力における男女差はなくなると考えてよい。だから大学入試は横並びのヨーイドンで問題ないし、むしろそうでなくては不公平だと言える。何年か前の医学部の入試で女子学生の合格者を減らす操作がなされていることが問題視されたが、こっちは明らかに社会的な差別である。

また、大学教授とか、企業の管理職も圧倒的に男のほうが多いけれど、男のほうが総合的に知力や能力が高いということはあり得ない。これらはなんらかの社会的バイアスがかかった結果であるのは間違いないので、人事に関する応募書類などから性別を記すことを廃止するといったシステム作りが必要だろう。

第4章

平等より大事なのは多様性

多様性の欠如は有事に弱い

多様性という言葉はさまざまな文脈で用いられるが、その意味するところは必ずしも明瞭ではない。例えば、生物多様性は通常、ある地域に生物種がどれだけ生息するかを示す「種多様性」を意味するが、同じ生物多様性でも、「遺伝的多様性」という概念もある。これは、一つの種が擁するゲノム（遺伝情報）の多様性のことだ。

単性生殖で増えている生物は基本的に親と同じゲノムを持つので、一個体のメスの子孫はすべて同じゲノムを持つクローンである。よってその種全体の遺伝的多様性は極めて乏しくなる。

遺伝的多様性が乏しい種は環境変異に弱く、絶滅しやすいというのは生物学の定説である。

それを示すエピソードとして有名なのは19世紀半ばのアイルランド飢饉だろう。

当時、アイルランドの人々の主食はジャガイモだった。そしてアイルランドでは栽培に最も適したほぼ一品種の、つまりクローンに近いジャガイモだけをずっと栽培していた。

ところがあるとき、カビによって引き起こされるジャガイモ疫病という伝染病が流行し、アイルランドのジャガイモは壊滅的な被害を受けた。栽培されていたジャガイモが、「一律」にジャガイモ疫病に弱いタイプだったために、文字通り一網打尽にされてしまったのだ。そのせいで主食を失ったアイルランドではひどい飢餓に苦しむ結果になったのである。

遺伝的多様性を欠いていても、同じ環境が続く限りは何の問題もない。環境が同じなら、その環境に最も適したクローンを栽培するのは、生産効率という面でのメリットはとても大きい。

ところがひとたび、疫病のようなその種にとってネガティブな事態に直面した場合には、アイルランドのジャガイモがそうであったように「一様」であることが命とりになりかねない。種としての生き残りのためには、たとえ現在の環境には最適でなくとも違うタイプが存在しているほうが絶対に有利なのである。

だからこそ、遺伝的多様性が高くさまざまなタイプの個体が存在している両性生殖の種のほうが、遺伝的多様性に欠けた単性生殖の種より、種の絶滅確率は相対的に低くなるのだ。

「純血」でないからこそ人間は生き延びられた

遺伝的多様性の高いほうが生き残りやすいというのは、もちろん人間も同じである。約10万年前からアフリカを出て波状的にユーラシア大陸に侵入したホモ・サピエンスの一部は、先住人類のネアンデルタール人と交雑した。状況からして交雑した個体はそう多くなかっただろうし、ネアンデルタール人自体は3万9000年前に絶滅しているので、混入したネアンデルタール人の遺伝子がいつしか消えていったとしても不思議ではない。

しかし実際には、アフリカに残ったホモ・サピエンス以外の現生人類にはネアンデルタール人の遺伝子が2～5％ほど混入しているのだ。

異分子とも言えるこれらの遺伝子を持つ人たちがなぜこんなに長く生き残ったのか

ということ、その遺伝子の存在によって耐寒性を獲得したからだと考えられている。ネアンデルタール人と交雑せずに純血を守ったグループもあったに違いないが、彼らは耐寒性に関わる遺伝子を持たなかったために、ウルム氷期（7万年前から1万年前までの最終氷期）の寒さで絶滅した可能性が高い。つまり、純血を守らなかったことで遺伝的多様性を獲得し、それが生き残りに有利に働いたのである。

なお、ネアンデルタール人が絶滅した理由には諸説あるが、少なくとも氷河期の寒さのせいでないことは間違いなさそうだ。

つまり現生人類の大部分はネアンデルタール人との交雑の産物であり、そのおかげで生き残れたのだと言えるだろう。

そんな太古の時代からの確固たる事実があるというのに、純血であるかどうかに拘る人たちが一部にいるのは不思議議なことだ。

アーリア人の純血を守ろうとして、結局滅んでしまったナチスはその代表格だが、純血の人種などもとからありはしない。

もちろん日本人も、基本的には、縄文時代に日本列島に広く居住していた人たち

（いわゆる縄文人）と、水稲農耕技術とともに大陸から渡ってきた人たち（いわゆる弥生人）の混血で、それ以外にもさまざまなＤＮＡが混ざったハイブリッドである。単一民族などというのは妄想で、純粋な日本人などどこにもいないのだ。

また、他の生物の交雑に関しても、異常なくらいに抵抗を示す人は珍しくない。

京都の鴨川のオオサンショウウオは、現在9割以上がニホンオオサンショウウオと、人為的に中国から移入された外来種・チュウゴクオオサンショウウオのハイブリッドである。当のオオサンショウウオにしてみれば、交雑したことで遺伝的多様性を増やし、結果的に種の生き残りを図っているとも考えられるのだが、それを遺伝子汚染と言って忌み嫌う人がたくさんいるのだ。

矛盾しているなと感じるのは、飼育栽培されている動植物を人間の都合で交雑させてさまざまな品種を作りだすことに対しては、あまり批判の声が聞かれないことである。

人間が飼育したり栽培したりしているのだから、人間のコントロール下にあり、問題はないとでも思っているのだろう。また、外来種排斥主義者の定義によれば、栽培されている野菜や穀物の場合は日本原産でなくても外来種とは呼ばないらしい。こんなのはどう考えても勝手な定義だと私は思うけどね。

もちろん、外来種のなかには従来の生物種に多大な侵襲を与えるアメリカザリガニのように、排斥するほうがいいものがあるのは確かだが、その多くは生態系にたいした侵襲を与えないのだから、たとえ外来種だからといってすべてを排斥する必要などない。

野外に放たれた外来種はコントロールできないので、それが気に入らないというのはいかにも都会人の考えだが、そもそも自然や生物が人間の思いどおりにならないのは、自分の体を観察すればわかる。どんなに金をかけても、人は老いて病気になってやがて死ぬ。ヒトの体だってしょせんは自然物なのである。

新しい資本主義には頭脳の多様性が欠かせない

遺伝的多様性が高い生物のほうが絶滅しにくいのは事実だが、遺伝子の組み合わせのパターンも増えるぶん、結果的に環境不適応な個体が生じるリスクも生じてくる。だから長いタイムスケールを取れば遺伝的多様性が高いほうが生き残りに有利だとはいえ、短期的な繁栄という意味では遺伝的多様性のないほうに軍配が上がる。環境に適応している限りは、繁殖自体にコストもかからず、リスクも低いクローンのほうが競争には強いのだ。

考えてみれば、戦後の日本を世界第2位の経済大国に導いたのも、まさに労働者の均一化と製品の画一化だった。そうやって生産コストを下げることで、国際競争力を高めたのである。そういう工業社会で持てはやされたのが、コントロールしやすい勤勉、従順といった属性の労働者だったのだ。

しかし、今や資本主義は、神戸大学の松田卓也名誉教授が提唱した「頭脳資本主義」へと変化している。ただひたすらに勤勉で従順という国民性のままではもはや世界に太刀打ちできない。

「読み書きそろばんと多少の事務処理ができる知的レベルがある労働者がたくさんいれば十分」という時代はとうの昔に終わっており、「頭脳資本主義」の世界で必要とされるのは、高いレベルの多様な頭脳だ。

生物であれ人間社会であれ、画期的なことやものというのは、異質なものが出会い、互いにコミュニケートしながら共生し、成長し合うことによってもたらされる。

知力のイノベーションもまた、さまざまな個性が混じり合い、互いに高め合いながら共生していくことでこそ生み出される。つまり、知的レベルを上げるうえでも多様性の確保が欠かせないのだ。

ところが日本の政治権力者は相変わらずで、頭脳の多様性を抑圧するかのような平等主義の教育制度からの脱却に本気で着手する気はないらしい。

今ある政権の短期的な維持にはそれが有効なのかもしれないが、長期的に見れば国家衰退への道であることは自明である。

異質なものの交わりは新たな言語を生み出す

環境からのバイアスにより徐々に変わることはあるにしても、異質なものを排除して旧来のスタイルを墨守している限り、画期的な変化など望めない。

20億年以上も前に細菌（原核生物）同士の共生により真核生物（細胞核と呼ばれる小器官を有する生物）がつくられなければ多細胞生物も生まれず、脊椎動物も哺乳類もヒトも誕生しなかったわけで、細菌だけの世界が続いたはずだ。細菌が突然変異と自然選択により進化するだけでは、どんなに時間をかけても真核生物は現れなかったろう。

異質なものが交わったときに新しい可能性が開ける例は、言語にもある。

お互いに異なる言語をしゃべる人が、交易などで意思疎通を図るために編み出した言語のことを「ピジン」という。ピジンは互いの言語が混じった言わば「ちゃんぽん言語」なので、一貫した文法体系はない。

しかし、ピジンを聞いて育った子どもたちは、それをもとに一貫した文法体系を持つ独自の言語をつくり上げることができる。このようにして生まれた言語は「クレオール」と呼ばれるが、つまりクレオールとは2つ以上の異なる言語の〝交雑〟をきっかけにして生じるのである。

もっとも感動的なクレオールは、ニカラグアのろう学校で発生した「ＩＳＮ」と呼ばれる手話言語であろう。

ニカラグアでろう者（聴覚障害者）のための職業訓練学校が設立されたのは１９７0年代後半のことだったが、そこに集まってきた10代前半の生徒たちは当初、シムコム（健常者が聴覚障害者との意思疎通の手段として発明した人工的な手話）と口話（相手の唇の動きを読んで、自分も声を出す話し方）を教えられていた。

しかし、それはろう者同士の意思疎通にはあまりふさわしいものではなかったので、生徒たちはそれぞれのホームサイン（家庭内だけで使う身振り手振り）を互いに披露しながらやがてそれらを〝交雑〟させ、「ＬＳＮ」というピジン手話を考案していった。

さらに4～5歳くらいの年少者は、子どもならではの言語獲得能力によって身近にあったＬＳＮをクレオール化させ、完全な手話言語体系（ＩＳＮ）をつくり上げたのである。

多様な個性の存在が1＋1を10にする

時代の空気に形だけでも迎合するふりをして、多様性が大事であると口では言っている人が多いけれど、少なくとも教育において確保されているのは、政治的強者たちに都合のよい枠組みの中だけの多様性である。

日本の教育システムは相変わらず、統制、杓子定規、プログラム、平準化といった、本来教育にはなじまないはずの概念装置が幅を利かせているが、もういい加減そこから脱しなければ、真の多様性など実現しないだろう。

「多様性を尊重しましょう」などと口では言っていても、本気でそこに踏み込もうとしないのは、今の〝環境〟をどうしても守りたい人たちがいるせいだと思う。コントロールする側の観点では、多様性などないほうがいいに決まっているからだ。

同じタイプ（しかも素直で従順な）の生徒が揃っているクラスと、考えうるありとあらゆるキャラクターでごったがえしているクラス、どちらが教師にとってコントロールしやすいかといえば、前者のほうなのは明らかだ。また、幸か不幸か、前者のクラスであれば、1＋1＝2という確実な成果を上げるというメリットは確かにある。

一方、後者のようなクラスを受け持つ教師は相当苦労するに違いない。うまくコントロールできないからといって、気に入らない他者を排除し合う方向に生徒を導いたりすれば、争いが絶えなくなり、学級崩壊の危機に直面するリスクも確かにあるだろう。

しかし、互いの個性を認め合いながら共生していくことに成功すれば、柔軟で型にはまらない発想が生まれやすくなるのは間違いない。うまくいけばこのクラスではかなり面白いことが起こると思う。多様な個性の存在は、1＋1を3とか4とか10とかに昇華させる可能性を有しているからである。

人間の歴史を振り返ってみても、文化を築き、イノベーションを起こしてきたのは、世間から「変わり者」だと見られていた人たちだ。

コロナ禍で台湾の「天才デジタル担当大臣」として有名になったオードリー・タン（唐鳳）政務委員も、小中学校で転校を繰り返した挙げ句、14歳で退学したという〝経歴〟があるトランスジェンダーである。

ここから先の世の中は、誰が決めたかわからない「普通」が正義だという不思議な思い込みは、もはや命取りになりかねないと私は思っているのだけれど、今の日本を見る限り、オードリー・タンのような人材が大臣に登用される日がくるのはまだまだ先になりそうだね。

人間の生きる道は千差万別

内田樹が『AERA』（2021年5月24日号／朝日新聞出版）の巻頭エッセイで、将来の夢を想定し、その実現のために事細かな計画を策定せよという、文科省肝いりの指導に対して苦言を呈していた。高校生に対して「9月までに将来の夢を確定し、そのための計画を立てること」といった夏休みの宿題が出るらしい。なるほど、成長過程にある高校生にまで、学ぶ立場からの「シラバス」もどきをやらせようとしているわけだ。

「どうして文部科学省はそれほどまでに子どもの成長過程を管理したがるのか。どうして子どもが無駄な迂回をすることなく、決められた軌道を最短距離・最短時間で進むことが人生の緊急事だと信じられるのか。私には理解できない」と内田はカンカンに怒っていて、「人間を管理することへのこの狂気じみたこだわりはもはや日本社会に取り憑いた病という他ない」と結んでいたが、私もまったくもって同感である。

これなんかはまさしく、多様性の実現なんかより、政権に盾つかない国民を養成することのほうが大事だと考えている国の本音の表れだろう。

しかもどうやら文科省は、5歳児向けの教育プログラムなんてものまで作ることを決定し、さっそく2022年度から一部地域の幼稚園や保育園などでモデル事業を試行するというから驚きだ。小学校入学後に集団生活になじめなかったり、先生の言うことが理解できなかったりする、いわゆる「小1問題」の解消を図るのが目的だそうだが、まあ、名目は何であれ権力は、国民をコントロールしたくて仕方がないのだろうね。学校という制度に縛られているぶん、子どもは大人以上にコントロールしやすいので、そうやって権力の意のままになる国民を養成しようとしているのかもしれないな。

将来の夢を実現するための計画書なんてものを書いたところで、世の中の状況は刻々と変わっているのだから、計画通りにいくはずがない。「高校生の知識と想像力の範囲内でそれを実現するまでのプロセスチャートを一覧的に開示できる『夢』のどこに『夢』があるというのか」と内田も言っているように、そもそも計画を立て、そのとおりに実現する夢などは夢とは言えないのだ。

計画を立てるといったって、この先は当たり前だが未経験のことであり、そうなると誰かの経験をなぞるくらいしかやりようはない。誰かと自分は能力も特性も異なっているのだから、同じことをやったからといって、同じ結果になるとは限らないし、仮に同じ結果になったとしても、他人と同じ人生を歩んだって面白くもなんともない。そんなものを書かせる暇があるのなら、勉強をさせたほうがずっと賢いと私は思う。

まあ、そもそも学校というのは、教師に無駄な書類を山ほど書かせるのが常態化している場所なので、明らかに無駄なことを児童生徒に強要することに教師も違和感など感じないのだろう。

そもそも「生きる」とは「計画通りにならないこと」である。

計画通りに動くのは同じ設計図で作られた機械だけで、人間なんて千差万別なのだから生きる道も千差万別であってしかるべきだ。

人生が面白いのは思いもよらないことが起こって、それをきっかけに、新しい局面が出現するからである。その結果、志半ばに挫折することももちろんあるが、僥倖に恵まれることもある。

人生にとってもっとも重要なのは「偶然」だ

人生が思いもよらないことの連続であることは私の経験からも断言できる。

私は小学校に上がる前に小児結核にかかり、幼稚園にも保育園にも行けなかった。だから毎日一人きりで家の周りにいた虫たちと戯れて遊んでいた。友達がいなくても全然平気という感性は、そのときに養われたのだと思う。小学校に入学したときはひらがなも書けなかったが、幼稚園でつまらないしつけをさせられなくて、本当によかったと思っている。

ちょうど抗生物質が市場に出回ってきたころで、「月給が全部、清彦の薬に化けてしまったよ」と親父が嘆くくらいにそれは高かったようだけれど、おかげでなんとか一命を取りとめた。

結核にかかったのも偶然なら、新薬が使えるようになったのも偶然だ。生物の進化もそうだけれど、人生を形づくるうえでもっとも重要なのは実は偶然であって、自分の都合のいいように計画を立てたところでたいして役に立たないのである。

高校3年生のときに、あまりにも勉強の出来が悪くて、さすがにこれはまずいと秋口から根を詰めて勉強し、何とか東京教育大学に滑り込めたのは、計画通りだと言えなくもないが、大学院の博士課程の入試に落ちたのは、もちろん計画通りではない。たまたま集中講義に来ていた東京都立大学の北沢右三先生に修士論文を見てもらう機会があり、次の年に拾ってもらえたのだけれど、それだって偶然みたいなものだし、結果論だが、東京教育大学の博士課程に落ちて運が開けたというわけである。

山梨大学に就職できたのも、候補者の推薦を頼まれた隣の研究室の桑沢清明先生が意中の人とまったく連絡がつかずに、私にお鉢が回ってきたものだった。これも運がよかったとしか言いようがない。

そんな私にとって人生でもっとも重大な事件といえば、第3章でも話題にした柴谷篤弘先生と出会ったことである。

1985年に、当時、岩波書店から出ていた『生物科学』に、ネオダーウィニズムとは異なる進化のメカニズムを考察した論文を発表したのだが、日本の生態学者や生物学者にはほぼ黙殺された。そんななか、ただ一人私に手紙を下さったのが柴谷篤弘先生だったのだ。計画とは無縁のこのような予期せぬ出来事がきっかけで、私は構造主義生物学の構築に突き進むことになった。

このように人生は偶然の出会いと運で決まることがほとんどで、あらかじめ立てた計画通りに進むことはまずないし、計画に縛られると大体ろくなことにならないのである。

AO入試は美辞麗句を並べた茶番だった

「多様性を尊重する」かのようなシステムを教育現場に導入したとしても、指導する側にそれを受け入れる姿勢が欠けていれば、当然ながら実現することはない。

早稲田大学に勤務し始めたころ、私もAO入試（現・総合型選抜）の面接官をよくさせられた。

AO入試というのは、文科省の資料によれば「詳細な書類審査と時間をかけた丁寧な面接等を組み合わせることによって、入学志願者の能力・適性や学修に対する意欲、目的意識等を総合的に判定する入試方法」とされていたので、その「丁寧な面接」とやらに駆り出されていたわけだ。

面接では、卒業後の進路（これがすなわち将来の夢ということになるのだろうか）について質問するのがお決まりのパターンだったのだが、多くの学生は、「国連で途上国の貧困をなくすために働きたい」とか、「英語力を生かして外交官になり、日本のために尽くしたい」など、どこかで聞いたことがあるようなきれいごとを並べていた。

「まだ決めていません」とか「株の投資術を研究して、就職しなくても稼げるようになりたい」などと、本音を素直に口にする学生のほうが私は伸びしろがあって面白いと思っていたが、そういう学生は滅多にいない。

極めてまれにそういう学生がいると、私は「○」をつけていたけれど、ほかの面接官のお眼鏡にはかなわなかったようで、私が気に入った学生の大半は不合格だった。

どうやら大学という学問の場所にも、「ポリティカル・コレクトネス（political correctness／政治的妥当性）」ならぬ、「スクール・コレクトネス」というものが存在するらしい。だから、「親父の資産が30億円くらいあるので、一生働かないで遊んで暮らします」とか、「パチプロになって頑張ります」といった夢を「丁寧な面接」の場で口にするのは事実上タブーなのである。

結局のところ、我が校にふさわしいと総合的に判定されるのは、「私は清く正しく生きます」といった、誰からも愛されるような利他主義的な言説なのだろう。いずれ自分のゼミに入ってくる可能性もあるのだから、自分の立場を脅かしそうな異分子を招き入れるより、できれば穏健で、反社会的でないヤツを選んでおくほうが無難だと考えるのも無理はない。面接をする教師の側に「こいつが入ればイノベーションを起こせるかもしれない」という発想がない限り、多様性が尊重されることもないのである。

ＡＯ入試の実態は、多様性を尊重するフリをした面接官と、利他主義的な夢をもっているフリをした受験者の、美辞麗句を並べただけの茶番だったというのが私の偽らざる印象だ。

その後ＡＯ入試は、学力検査を課さなかったがゆえ、一般入試組との学力格差が問題視されるようになり、〝学力の多様化〟という皮肉な結果をもたらした。それもあってか２０２０年度からは「総合型選抜」と名前を変えて、学力検査も加味されることになったらしい。

昨今の大学入学者選抜の方法自体は多様化がトレンドであるが、従来のように学力試験の成績順に合格者を決めるシンプルなやり方のほうが、恣意的なふるいがかからないぶん、結果的には多様な考えをもつ学生が集まりやすいと私は思う。

学校推薦型選抜とか総合型選抜ばかりにすれば、大学や教授に盾つきそうな学生を排除することはできるだろうが、学問の場には本来、選抜する時点では評価不能な異分子こそが必要なのだ。

独創的な研究の出現には多様性と偶有性が必要だ

国立大学は2004年に独立法人化され、それによって各大学の自由度を尊重する体裁が整えられたかのように見える。

しかしそれ以降、人件費や研究費として使われる「運営費交付金」は、文科省の意向に合わせた画一的で定量的な指標でもって「不平等」に配分されることになってしまった。

研究費の配分権限は各大学の学長や理事会に集中させ、科学研究費の配分権限に限っては文科省の息のかかった審査委員に与えた結果、予算は特定の有力研究者とその弟子筋の研究者に集中し、研究成果をほとんど上げられずにいた研究者や、一匹狼的な研究者が使える研究費はスズメの涙ほどになってしまったのだ。

もちろん研究費というのは税金から出ているので、「優れた業績を上げることが義務である」というのは正論である。

しかし、そこには大きな問題があることを忘れてはいけない。

なぜなら優れた研究かどうかは結果的にしかわからず、研究費の分配権限を持っている人に理解できない画期的かつ独創的な研究は切り捨てられてしまう恐れがあるからだ。

見込みがありそうな研究に重点的に研究費を配分するほうが一見、費用対効果は高いように思われるだろうが、現時点の判断基準で先の見込みを予想している限り、そのなかから独創的な業績が生まれる可能性は低い。

パラダイムを転換するような「画期的なイノベーション」に限っていえば、それが起こる確率をもっとも高めるのは、なるべく「平等」に研究費を配分することだ。独創的な研究の出現に必要なのは、多様性の確保と、ないかもしれないけれどあるかもしれないという偶有性の追求なのである。

世の中はすっかり世知辛くなり、成果が上がらなさそうな研究に税金を投じるなどけしからんというムードがあるのは紛れもない事実である。それもあって政府や文科省は、傾斜配分をますます強めているのだけれど、そういう流れになればなるほど日本の科学研究の国際的地位はどんどん低下していくだろう。実際、全分野の論文数を見ても、主要な国々では軒並み増加しているのに対して、日本だけは国立大学が独立法人化された2004年以降は、横ばいから減少傾向にある。

文科省の役人というのは短期的な効率しか考えないのが常ではあるが、少なくとも全体の予算の半分くらいは、均等に配分するか、百歩譲ってくじ引きなど恣意性のかからない方法で分配すべきだと私は思う。

「急がば廻れ」、あるいは「急いては事を仕損じる」という金言を忘れた文科省が次々とつまらない政策を考えるたびに、日本の科学技術の進歩は世界から遅れていくだろう。短期的な戦術だけで乗り切ろうとしてドツボにはまるパターンは、何も政治に限った話ではないのである。

ＡＩ面接は本当に公平なのか？

ＡＩ技術の進歩はめざましく、仕事場でも家庭でもこれまで人間が行ってきたことを当たり前のようにＡＩに代用させる世の中になってきた。

最近では企業の採用に際しても、ＡＩ面接を導入する動きがあるようだ。

ＡＩ面接導入の目的は、コストや時間の効率化とともに、面接官の思い込みや偏見などによる影響を排除することで不公平を是正することにあるようだが、実はＡＩの本場とも言えるアメリカではその運用を見送るケースも出てきている。

ビッグデータを通じて学習するというＡＩの特性が、かえって不公平を生んでいることがわかったからだ。

ＡＩが何をもって採用基準を学習するのかといえば、おそらく過去のその会社の採用データと実際に働いている人たちの実績であろう。

例えば、入社後の営業成績がいい人には高級住宅街とされる特定地域の出身者が多いという、もしかすると採用担当者も気づいていなかったような共通点をＡＩが学習してしまえば、高級住宅地出身の人を相対的に高く評価するようになる。

ただし、ＡＩがそう判断する根拠は、あくまでも高級住宅街出身者に営業成績の高い人が多いという相関のみであって、その理由は一切問わない。もしかすると、たまたま過去の人たちには自分の出身地に金持ちの友人がたくさんいて、その人たちがお客さんになってくれたことが、営業成績を伸ばした理由なのかもしれないわけだ。それは単に強いコネクションのおかげであって、厳密にいえば営業能力の高さに起因するものではない。それでもＡＩは、そのような事情はおかまいなしに高級住宅街出身者には相対的に高い評価をつけるので、結果として出身地による差別が起こってしまうのである。

実はあのＡｍａｚｏｎでもＡＩを使った採用システムの構築を目指していたが、その計画は早々に断念したという。過去10年にわたって提出された履歴書や合格者の実績をＡＩに学習させたところ、かつての合格者の大半が男性だったため、男性を高く、女性を低く評価するという〝不具合〟が発覚したからだ。

つまり、「ＡＩだから公平」というのは、明らかに思い込みなのである。

生身の人間には感情とか個人的な好みが少なからずあり、そういう定性的な評価基準は不公平だと考えるかもしれないが、そのあやふやさが多様な人材を採用するうえではむしろプラスの方向に働くこともあるのではないかと私は思う。

無難さという意味ではＡＩ面接にもメリットはあるだろうが、何かが起こったときに会社を救ってくれるのは、ＡＩがあまり相手にしない「なんだかわからないけど面白いヤツ」なのだ。

多様な人材をただ採るだけでは意味がない

おそらくＡＩ面接を導入する会社も、基本的には応募者の絞り込みに活用するのだろうが、それこそが一定の枠組みの中にいる人だけを採用しようという姿勢の表れだろう。

会社の意向にそぐわない人物にわざわざ会うのは時間の無駄だと考えているのかもしれないが、似たような人材ばかりを揃えていては、劇的な変化が短いスパンで起きる時代を生き抜くことができないと思う。

そういう意味で、多様な人材の活用を意味するダイバーシティは、生き残りをかけた経営戦略として欠かせないが、いろいろな属性やタイプの社員を採用しただけで満足している会社も珍しくない。

個性的な人材を採用したはいいが、形式ばった会社のルールややり方を一律に強要するようでは、多様性もなにもあったもんじゃない。

つまり、真のダイバーシティには、多様な人材がそれぞれの能力をいかんなく発揮するための環境づくりが欠かせないのだ。そこで試されるのは、会社側の、前例や思い込みにとらわれない柔軟な姿勢だと思う。

その格好のお手本となるのは、ソフトウェア開発を手がけるサイボウズ株式会社だろう。

サイボウズは、1997年に愛媛県松山市に設立された。代表取締役を務める青野慶久は3人いた創業メンバーの一人である。

青野が社長に就任したのは2005年だが、当時は離職率が28%もある会社だったという。しかし、性急なM&Aで大きな損失を出すなどして社長を辞めるかどうかの瀬戸際まで追い込まれる経験を経て、青野は「社員が楽しく働いていないこと」が重要な問題だと考えるようになったそうだ。それがきっかけとなってサイボウズは、メンバーの多様性を重んじる組織のあり方を追求する会社へと生まれ変わった。

100人いれば100通りの人事制度

ただし、サイボウズのやり方は単なる「ダイバーシティ経営」とはアプローチが異なると青野は自身の著書（『チームのことだけ、考えた。――サイボウズはどのようにして「100人100通り」の働き方ができる会社になったか』ダイヤモンド社刊）で語っている。「経営者が意図するダイバーシティの完成形を目指し、号令とともに推し進める」やり方には「多様性とは異なる画一性を感じる」というのだ。

青野が考える多様性は、意図的に作り出すものではなく、すでに「十分存在するもの」である。つまり、会社は「個性を受け入れる側」なのだから、「一律的な規則で働かせるのをやめるだけ」というわけだ。

こうして生まれたのが、メディアでもたびたび取り上げられて有名になった「100人いれば100通りの人事制度」である。

この斬新な人事制度のもとでは、週に3日だけ働くというスタイルも認められるし、副業も自由だ。そのおかげで「性別や家族構成にかかわらず、予測のつかない生活環境の変化や、新しい挑戦にも柔軟に対応できるようになった」うえ、人事制度の面白さからレベルの高い学生が集まるようになり、中途採用にもユニークな人が集まるようになったと青野は言う。

以前は働く時間の長さや場所の自由度を9種類の選択肢から選ぶかたちだったそうだが、2018年からは「働き方宣言制度」が採用され、一人ひとりが「自身の働き方」を自由に記述して会社に伝えるスタイルを実行しているという。つまり、どう働くかを自分で一から考えることができるというわけだ。

ライオンも個性に仕事を合わせている

大阪・茨木市にあるエビ加工・販売の「パプアニューギニア海産」という会社でも、十数人いるパート従業員は完全に自由な勤務形態で働けるらしい。出社時間も退社時間も自由だし、休みたいときは特に断りを入れることなく休んだっていい。また、35～36個に分けられる仕事のうち、好きな仕事だけを選ぶことができて、嫌いな仕事はしなくていいという。

こんなやり方が本当に成り立つのかと思うかもしれないが、この制度のおかげでパート従業員の定着率も、仕事の成果も上がったそうだ。変に管理して働かせるよりも、本人の好きなときに、もっとも得意な仕事をしてもらうほうがやはり成果は上がるということだろう。

そういえば、ライオンの世界でも個体の能力差がうまく利用されている。

ライオンで狩りを担うのはもっぱらメスなのだが、同じメスでも、あるものはひたすら後ろから獲物を追いかけ、あるものは別の場所で待ち伏せていてとどめを刺す。

そのように役割分担はほぼ固定されていて、その基準となるのがまさに個体の能力差なのである。

つまり、足の遅いライオンが無理して獲物を追いかけたりはしないし、狩りのコツを知らない若いライオンにとどめを刺す役割を担わせたりはしない。つまり、ライオンもそれぞれ自分の得意なことだけを請け負っているのだ。

獲物を逃してしまっては群れの生死にも関わるのだから、能力を無視した役割分担などありえないということだろう。

長い間、人間は仕事に自分を合わせることを強いられてきたけれど、個人の幸せという観点のみならず、社会の発展という意味でも、ライオンのような「個性に仕事を合わせる」スタイルのほうに舵を切るべきときがきているのかもしれない。

アウトサイダーが起こすイノベーション

一人ひとりの事情に合った制度ができていくなかでは必然だったのだろうが、サイボウズではもう10年以上も前から「グループウェア」という自社の看板を生かしたテレワークの導入を開始していた。おかげで、2011年に東日本大震災が発生したときも、事業を支障なく継続できたという。直後の交通機関の乱れや原発事故に対する不安があるなかでもほとんどの業務が在宅で可能だったからだ。

コロナ禍においてもほぼ100％のテレワークを実現し、「100人100通りの働き方」を世の中に提案する「がんばるな、ニッポン。」のCMも話題になった。目にした人も多いのではないだろうか。

現在、サイボウズの事業の中心となっているのはクラウド事業であるが、そこへの転換を成功に導いたのは、個性豊かなサイボウズの中でもとりわけ「アウトサイダー」的な存在の人たちだったらしい。その機を逸し、クラウド事業への転換がいまだ進んでいない他の日本のパッケージソフト企業との差は、まさに多様性にあったと青野は言う。

「多様性のある組織は変化に強い。大きな構造変化を察知し、実行に移すのはいつも一部の人間だ。普段から少数意見を尊重することは、イノベーションにつながると考えている」

このような言葉は、平等主義の教育システムを押し付けたり、計画通りに児童生徒を動かそうとしたり、見込みがないと勝手に判断した研究にはビタ一文、金を出さなかったりする今の文科省の役人たちの口からは絶対に出てこないだろうね。

パワハラやセクハラも「平等」な対応に原因がある

本来、人というのは多様である。もちろん、自分という人間もほかの誰とも同じではない。つまり、人と人との関係性はそれこそ無数にあるわけだ。

最近はジェンダー平等の観点からか、すべての児童生徒や学生を「さん」づけで呼んでいるらしい。「さん」だろうが「くん」だろうが、どっちかに統一してしまえば確かに平等で合理的だから、文句を言われる筋合いはないだろう。ただし、そういうのは人と人の関係としてまるで面白くないし、無駄な「平等」だと私は思う。

早稲田大学に勤めていたころ、新入生のゼミを担当させられていたが、新しくゼミに入ってきたばかりの個々人の学生と私との関係性は基本的に差がない。だからそこは「平等」に、全員を「くん」づけで呼んでいた。

ところがゼミが始まってしばらくすると、そのなかからなんとなく相性が合う学生が出てくるものだ。研究室に頻繁に遊びにくる学生や、なかには入り浸ってしまう学生もいた。そういう学生たちのなかで特に信頼する学生に対しては、授業以外のときは自然と呼び捨てにすることが多くなる。一方、なかなか距離が縮まらない学生は、いつでもどこでも「くん」づけである。

もしかするとこれを「不公平だ」と感じていた学生もいたのかもしれないが、呼び方が違うからといって学生をえこひいきしていたわけではない。実際、ゼミの中でもっとも優秀で評点が高いのは、だいたい「くん」づけで呼ぶ学生だった。つまり、「くん」づけするか、あるいは呼び捨てにするかは、私と学生との親密度や信頼度の違いであって、成績とは別の話なのだ。

教師と学生といえども人間同士なのだから、こうした関係性の違いはあって当然だし、変に呼び方を「平等」にするよりよほど素敵だと私は思う。相手が成長過程にある子どもであればなかなかそうはいかないだろうが、大学生ともなればもう立派な大人である。言葉の意味やインプリケーション（含意）というのは、文脈や状況に依存しているのだから、呼び捨てにしたり、「君はバカだねえ」などと言うこと自体が悪いわけではない。

最近はあっちでもこっちでもパワハラやセクハラといった問題が起きているが、それは相手の個性とか、自分との距離感（親密度や自分への信頼度といったもの）をまるで無視して、誰にでも「平等」に接するせいだと思う。ダメなのは、誰彼かまわず同じ言動をしてしまうことにある。相手の個性も自分との関係性も同じではないのだから、それに応じて言葉や態度を変える賢さがあれば、大きな問題は起こらない。要するに、パワハラもセクハラもコミュニケーション能力の欠如が引き起こしているのである。

同じ言葉や態度でも、誰にでも同じように伝わるとは限らない。相手によって、文脈や状況が異なるのだから当たり前だ。「平等」に怒鳴ったり、「平等」に馴れ馴れしくするというのは、実はかなり危険な行為なのである。

第5章

「平等バカ」からの脱却

「不平等」を是正しない・・・システムの完成

ここまで話してきたとおり、人は生まれながらにして不平等だ。

努力すれば必ず成功できるとか、頑張れば誰でも金持ちになれるといったことを考えるのは、「本来、人は平等だ」という幻想にとらわれているせいである。

そのような幻想を捨て切れずにいると、型通りの「平等」を与えられるだけで、妙に安心したり満足したりしてしまう「平等バカ」になりかねない。そもそも現実の「不平等」を無視して形式的な「平等」だけが与えられても、結果は不平等のままであるし、場合によってはその差がさらに広がりかねない。

もちろん、だからといって不平等に甘んじろと言いたいわけでは決してない。

第3章でも述べたように、不平等を是正する方法は、いくらでもあるからだ。

実は動物の世界にも生まれながらの不平等は存在するが、それを調整するシステムが遺伝子レベルで構築されている。

例えばオオカミの群れの個体同士は激しく戦うこともあるけれど、負けたほうが腹を見せて降参の姿勢を示したときは、勝ったほうがとどめを刺すようなことはしない。また、オスシカの優劣は戦う前にだいたい角の大きさで決まり、無益な戦いを避けるようになっている。大きい角のシカが小さい角しかもたないシカを徹底的に攻撃することはない。戦うのは角の大きさがほぼ同じ同士だけだ。ライオンも獲物を最初に食べるのはオスだけれど、最終的にはみんなにちゃんと分け与えることが多い。

つまり多くの動物は、相手が自分より弱いからといって徹底的にいじめたりはしないし、自分だけで獲物を独り占めすることもない。それが集団の秩序を守り、種の存続を図るための本能なのだろう。

ところが、いつしか人間はそうしたタガが完全に外れてしまった。強い者は弱い者を守るどころか、徹底的にいじめたりする。また、餓死するほど困窮している人がいるなかで、自分だけが平気で贅沢をする。そんなことをする動物は、人間しかいないのではないか。

一度外れたタガを元に戻すのは難しいが、だからこそ、それを是正するシステムを構築することこそが、本来の為政者の役割だと私は思う。

才能や学力の不平等だって、多様性を生かす教育システムによってそれぞれの個性を花咲かせることができれば、完全に公平とまでは言わないまでも、それぞれが自分らしい幸せを得られるようになるはずだ。

自由競争社会である以上、ある程度の経済的不平等が生じることは不可避ではあるが、調整弁として機能するシステムさえあれば、少なくともその差が指数関数的に開いていくことは未然に防げる。

しかし、現実は決してそうはなっていない。それどころか今や経済的不平等は固定化が着々と進み、貧困層の生活はますます苦しくなっている。国民をコントロール下に置くために多様性をつぶす教育が横行し、金持ちだけが得をするようなシステムが出来上がっているのだから当たり前だ。

つまり、今、目の前に広がる現実は、為政者側の怠慢の産物などという甘っちょろいものではなく、そうなるようにあえて仕向けた結果なのだと考えざるを得ない。

「平等」を放棄する日本人

しかし、そのような政治の私物化を多くの日本国民はあえて受け入れている。

国民が手にしている数少ない「平等」のなかで、もっとも重要なのは選挙権だと私は思っているのだが、「不平等な扱い」には目ざとく声をあげるはずのこの国の人々の多くが、せっかく与えられた価値ある平等を、こうも簡単に放棄するのはいったいなぜなのだろうか？

例えば衆議院議員選挙を見てみると、男女普通選挙制度を採用して初となる1946（昭和21）年4月の選挙以来、投票率が80％を超えたことは一度もない。平成に入った1989年以降は70％を超えることは一切なくなり、直近では2012（平成24）年12月の選挙が59・32％、2014（平成26）年12月の選挙が52・66％、選挙権を18歳以上に引き下げた2017（平成29）年10月の選挙でも53・68％というありさまである。つまり、平等にあるはずの選挙権を半数近くの人が行使していないのだ（表7）。

（表7）衆議院議員総選挙（大選挙区・中選挙区・小選挙区）における投票率の推移
※総務省ホームページより作成

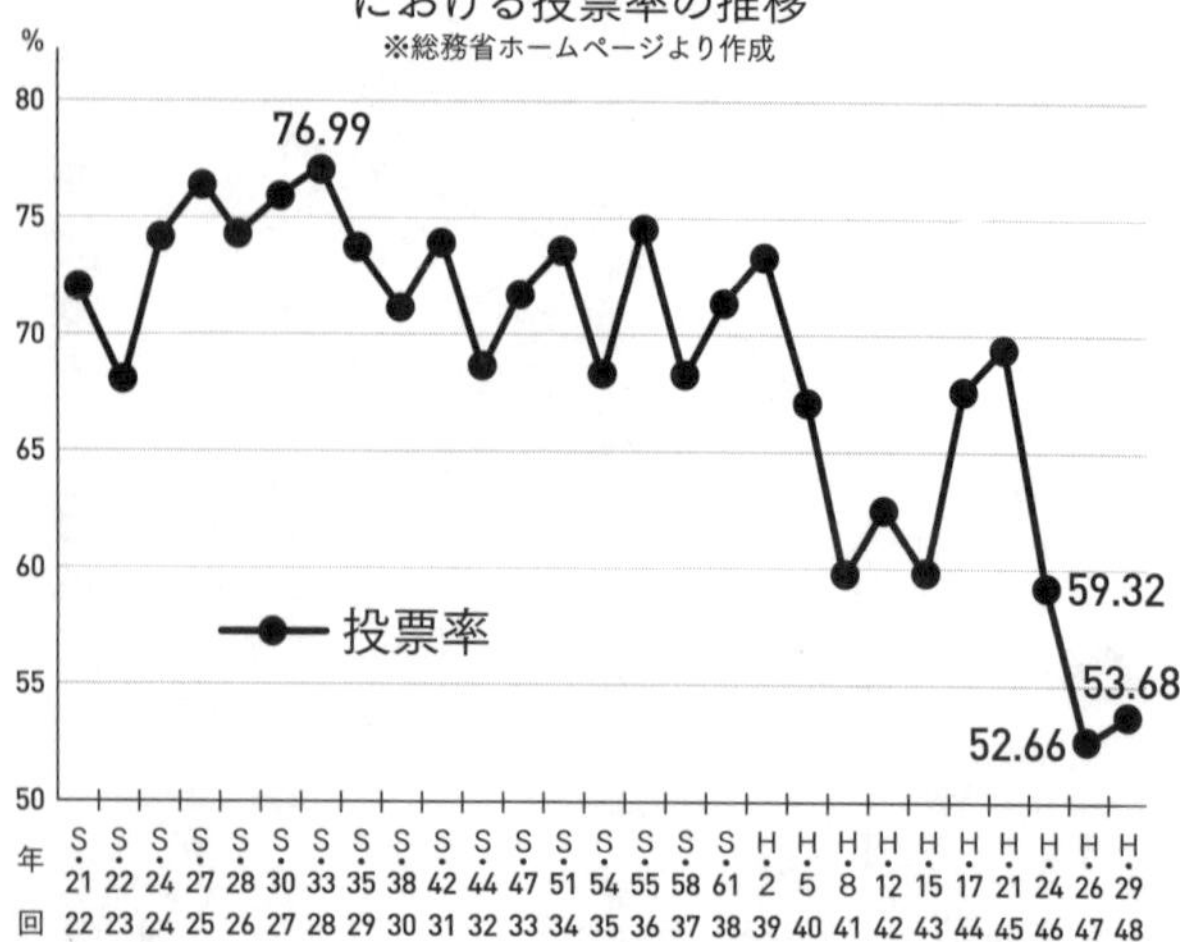

このような低い投票率の選挙を勝ち抜き、どこかの政党が第一党になったとしても、それは多くの国民の支持を得た結果ではない。

新聞報道によれば、２０１２年以降、自民党の選挙区での絶対得票率（棄権者も含めた全有権者に占める得票比率）は平均すると2割台であり、ところによっては2割を切ったケースもあるという。つまり、選挙を通じて自民党支持を積極的に表明した人は5人に1人程度なのである。

「民意がまるで反映されない」というのは政治へのよくある不満ではあるが、

積極的に支持している人が5人に1人しかいないような政党が揺るぎない第一党となり、その党のトップだからという理由だけで選ばれた人が、国の最高権力者になっているわけで、民意が反映されないのは当たり前である。そもそも民意を反映させる機会を放棄することを選んでいるのは大半の有権者のほうではないか。

政治家に対してクソミソに文句を言いながら、平気で選挙を棄権する人がこの国にはたくさんいる。棄権者が多ければ多いほど、確実な組織票を計算できる候補者が有利になるのは間違いないから、強い地盤を持つ議員にはこれ以上ない〝追い風〟となる。

そのような状況が続く限り、例えば自民党議員なら、5人に1人の積極的な支持者たちのことだけ考えていればいい。だから彼らは国民の利益より、自分と支持者の既得権益を守ることに必死になるのだ。

「何がなんでも東京オリンピックを開催せねばならない」といった、国民感覚とはかけ離れた謎の正義が横行するのはまさにそのせいであり、一言でいえば国民は完全にナメられているわけだ。国民からどんなに非難されたところで、その多くはどうせ投票になんか行かないことを、彼らはちゃんと知っているのである。

政治のことはよくわからないという言い訳で選挙を棄権しようとする人がいるが、そもそも政治に専門家などはいない。安倍だって菅だって、たまたま政治家をやってるだけで、別に専門家だというわけではない。だから、政治の素人の国民が口を出すのは当然なのだ。

また、選挙に行かないことを正当化したいのか、「選挙に行っても行かなくてもどうせ何も変わらない」などとしたり顔で言う人もいるが、政治を変える方法は一票の積み重ね以外にはないのである。

２００９年の衆議院総選挙で民主党を圧勝させ、政権交代を実現させた原動力となったのは70％に迫る投票率だったはずだ。

民主党政権に関しては、東日本大震災や原発事故への対応の悪さやその後もさまざまな混迷を招いたことに対する批判も多い。そのせいでかえって国民が政治に「安定」を求める傾向が強まったという声があるのも事実である。しかし少なくとも、「選挙に行けば、何かが変わる」ことを十分に証明したことは確かである。

何としても投票率を上げたくない自民党

選挙権とは、「よりよい社会づくりに参加できるように定められた、大切な権利」（総務省ホームページより）である。日本の場合は、強制力のない「任意投票制」とされているが、例えばベルギーやシンガポール、オーストラリアなどでは「義務投票制」が採用されている。

そのような国では選挙を棄権すると、罰金や選挙権の剝奪などの罰則が科されることになる（表8）。

オーストラリアもかつては任意投票制だった。当時の投票率は51〜70％程度だったというから、今の日本と似たような状況である。ところが、1924年に義務投票制が導入されて以降は、投票率が90％を下回ったことは一度もないという。

正当な理由なく棄権すれば罰金が科されることはもちろんだが、郵便投票が認められていたり、投票場所の選択肢が多かったりすることも高い投票率を支えているようだ。

（表8）主な「義務投票制」採用国とその罰則

※国立国会図書館調査及び立法考査局政治議会調査室・課作成資料をもとに作成

国名	投票義務違反に対する罰則など
アルゼンチン	・罰金および選挙後3年間の公職就任、公務員への任用禁止
ウルグアイ	・罰金 ・権利の一部制限など
エクアドル	・罰金 ・権利の一部制限など
オーストラリア	・罰金
キプロス	・罰金 ・入獄
シンガポール	・選挙人名簿から抹消 （正当かつ十分な理由があると認められた場合及び罰金を支払った場合は再登録）
ナウル	・罰金
フィジー	・罰金 ・入獄
ブラジル	・罰金など
ペルー	・罰金 ・公共サービス制限など
ベルギー	・罰金 ・15年に4回以上棄権した場合は、10年間選挙人名簿から抹消され、かつ官公庁からの任命、昇任、表彰を受けることができない
ボリビア	・罰金 ・罰金を支払わなかった場合は投票日からの90日間、公務員として働くこと、銀行取引及びパスポートの発行を受けることができない

本気で投票率を高めようするならば、このような義務投票制を導入するための法改正だって十分に検討の余地はあると思うが、自民党政権が続く限り、実現の可能性はほぼないと考えていいだろう。下手に投票率が上がってしまえば、自分たちの首を絞めることになりかねないからね。「関心がない、と言って寝てしまってくれれば、それでいい」というのは森喜朗の有名な失言の一つだが、寝た子（無党派層）を起こしたくないというのは自民党政権に一貫する本音なのである。

だからこそ、有権者自身がもっと自覚的になって、自らの力で投票率を上げる必要があるのだが、果たして2021年中に行われるはずの衆議院選挙はどうなるだろうね。

コロナ禍での東京オリンピック開催などで不満が相当募っていたはずの東京都民でさえ、2021年7月4日の都議会選挙で投票所に足を運んだのは半数以下（投票率42・39％）だったという呆れた結果だったことを考えると、あまり期待できないのかもしれないな。

「紅旗征戎吾事に非ず」、つまり「戦争や政治など知ったこっちゃない」とうそぶいたのは19歳の藤原定家である。定家は政治に関わるといつ災難が我が身に降りかかってくるか知れたものじゃないと懼れていたわけだ。

しかし今は、定家の時代とはまるで違い、政治に関わらないと貧乏人に災難が降りかかってくる時代なのである。そんな現実に気づかずに、政治になんて関わらないほうがカッコいいなどと考える若者はアホだと思うよ。

加法による変化がデフォルト⁉

「政治を変える方法は一票の積み重ね以外にはない」のは事実だけれど、日本には「一票の積み重ねだけでは政治を変えにくい」システムが構築されているという問題もある。

それが、衆議院議員定数の6割以上が決まってしまう小選挙区制である。第2章でも述べたように、一選挙区でひとりしか当選しないこのシステムは、引き継げる地盤や看板があるほうが圧倒的に有利なのだ。

すべての選挙区の結果はオール・オア・ナッシングなので、たとえ僅差まで追い詰めたとしても負けは負けである。選挙区ごとの得票率の差はわずかだったとしても、全国的には第一党の圧勝ということも十分ありうる。つまり、民意を拾うのが難しいシステムであり、これが続く限り第一党有利は揺るがない可能性が高い。一つの選挙区から3~5人を選出する中選挙区制ならかなり状況は変わると思うが、今の第一党が安泰である限り、それは期待できない。

つまり、とにもかくにも第一党の牙城を崩すことが必要なのだが、今あるものを崩すということに、どうやら人はあまり前向きではないらしい。

多数派を支持していたほうがストレスが少ないというのがその理由だろうと私はずっと思っていたのだが、最近、国際的な科学誌『ネイチャー』に「人間は加法による変化の探索を体系的にデフォルトとしており、その結果、減法による変更を見落とす」旨の論文が掲載されていた。人は状況を改善しようとするときに、現在のルールを廃棄するよりも、新しくルールを付加することを好む傾向にあるらしい。

つまり、まるっきり変えてしまうやり方より、とりあえず今あるものを維持させたまま、そこに変更を加えていくやり方のほうが受け入れられやすいということだ。使い勝手の悪い法律があっても、それをすっぱりなくすという選択をせず、補足だとか例外だとかをどんどん足して、ひたすら複雑化させていくことなどはその典型だろう。

ＣＯＶＩＤ－19の対応にしたって、まだ病気の性質がはっきりしないうちに焦って「指定感染症」としたせいで、軽症患者まで入院隔離が建前となり、そのせいで重症患者のベッドが足りなくなるといった事態を招いた。

当然これでは困ってしまうので、「軽症や無症状で重症化の恐れが小さい患者について『都道府県が用意する宿泊施設』や『自宅』での療養を可能とする」という例外を設ける。さらには宿泊施設や自宅で療養する場合の決まりなんていうものをどんどんくっつけたりすることでその不具合を乗り切ろうとしているよね。実態に合わないと判断したのなら、さっさと指定感染症にすることをやめてしまえばいいだけの話なのに、２０２１年１月にはなんとその期間を１年も延長する判断を下している。

こういう融通の利かないやり方を私は「無謬性（むびゅうせい）の法則」と呼んでずっと批判してきたのだが、「人間と心理の傾向」ということであれば、誰もがもちうるということだろう。

つまり、どれだけ不満があったとしても、なんだかんだで結局は〝安定〟の第一党に票を投じる人が多いのは、「加法がデフォルト」という生まれ持った心理のなせる業なのかもしれない。つまり、政権を思い切って引っくり返そうという勇気より、とりあえず現政権を維持させて、加法による解決を図るほうが安心できるという心理が勝っているということだろう。

それが人間の心理的傾向だとしても、とりわけ日本人は一度システムを壊して新しいことを始めるというのが、他の国に比べて下手だと思う。「前例がない」ことを堂々と言い訳にして新しいことをやろうとしない。

しかし、「前例がある」ことだけをやっていては世の中は変えられない。正常性バイアスの罠にかかった人ばかりのこの国は、クラッシュが起きない限り、今のシステムを廃棄して新しいシステムを構築することはできないのかもしれないね。

「決める政治」がはらむ独裁と不正のリスク

民主主義というのは本来、「独裁を許さないシステム」であるはずなのに、ここ20年の流れを見ていると、むしろそのシステムをいかにして崩すかに注力しているとしか思えない。

唯一、2009~2012年だけは民主党に政権を譲ったものの、それ以外は一貫して政権与党の座を維持している自民党は、「決められる政治が大事」だと言い張って、自分たちにとって都合がよい法案を次々と成立させている。

法案が通れば、それに基づいて、法律を決めた側の人たちは、自分たちに有利なさまざまな許認可権を獲得できる。これは法律や条例に則しているから認可するだとか、逆にこっちは認可しないといったことが決められるようになるわけだ。さらに望ましいと判断された取り組みには補助金を出すこともできる。もちろん、実際にそれをやるのは官僚だけど、官僚は政権党に忖度せざるを得ないのだからどのみち同じことだ。

認可の可否とか補助金を出す出さないの判断が本当に公正であるのならそれはそれ

でいいのだろうが、実際はそうではない。法律にも条令にもあいまいな部分が残されているのが常であり、認可するかしないか、そして補助金を出すか出さないかは、認可する側のサジ加減ひとつなのだ。

そうなると、認可されないと先に進めない企業などは行政の言うことを聞くほかないし、補助金をバンバン出してもらった企業はその見返りとして、選挙で自民党を応援したり、パーティー券を購入したり、もっと金があるなら政治献金したりするはずだ。厚生労働省や国土交通省などは許認可権の権化だから、その舞台になりやすいと思う。

かくして揺るぎない〝一党独裁〟が維持されるのみならず、横流しされた税金は自民党の懐に入るという算段である。

例えば、地球温暖化防止のためとか、最近であれば、SDGs達成のためだとかいうわかりやすいプロパガンダは、さらに新しい法律や条例を作るための格好の言い訳になる可能性を忘れてはいけない。

もちろん予算が決まらないのは問題だけれど、予算案以外の新しい法案なんか通らなくたって、とりあえず国民が困ることはない。むしろ、わけのわからない法案が次から次へ成立するのを阻止できるので、「決まらない政治」のほうが上等なのだ。

コロナ禍を機に憲法を改悪して緊急事態条項を新設しようとしているようだが、コロナを治すのは医療であり、予防するのはワクチンであって、法律なんかじゃない。

そもそも、国民が聞く耳を持たないのは、明確な科学的エビデンスを示すことなく、東京オリンピック開催を強行することを最優先に、緊急事態宣言だのまん延防止等重点措置だのを繰り返しているからである。政府の要請に従わず酒を提供し続ける飲食店が後を絶たないのも、協力金をもらった程度では店が立ちゆかなくなっている人たちが続出しているせいではないか。

いよいよ法律を武器にしてまで国民をコントロールしようとしているのかと思うと、心の底からゾッとする。権力を持つ者がやりたくて仕方がないことは、権力を持たない人々にとっては不利なことに決まっているのだ。

酒類の提供停止に応じない飲食店に対して、取引金融機関から働きかけろなどと発言した西村康稔経済再生担当大臣に批判が集まっているが、それを国民が堂々と批判できるのも「法的根拠がない」という大義名分ゆえである。もし「緊急事態になったらすべて国の言うことをきけ」などという法律ができてしまえば、批判の根拠をなくすことにもなりかねない。

平等であるはずの選挙権を放棄し続け、「減法による変更」を避け続けている人たちも、いずれは騙されていたことに気づくだろうが、そのときはもう手遅れなのかもしれないよ。

難しい論理は「平等」の敵になる

「原則平等」を旨とする民主主義社会では、「自分にも平等に発言権がある」と信じている人が多い。もちろんそれは間違いではないのだが、自分よりはるかに知的レベルが高い人たちの発言と自分の発言との価値が「平等」だと思っている人が多くて辟易する。発言権は「平等」でも、発言内容の価値は違うのだよ。

こういう人たちはやがて、自分たちが理解できることだけを受け入れることで自らのプライドを保つことを覚えていく。難しい話をないものとすれば、自分の発言にもそれなりの価値があると信じることが可能だからだ。

理解できる言説だけしか見ない（聞かない）ようにすれば、その人にとって理解不能な難しい論理は理屈抜きに否認の対象になっていき、難しい理屈を言う人は知識をひけらかして自分たちをバカにする輩だと見なすようになっていく。劣等感の裏返しで「上から目線の発言だ」と決めつける勝ち誇ったふうなそぶりが、この人たちを象徴している。「上から目線だ」と言っている人で、まともなことを言っている人を私はいまだかつて見たことがない。

そのような傾向は大卒の肩書のある人に多く見られ、大学進学率が50％を超えたあたりから、大衆的な「反知性主義」が日本社会の主流になったと感じている。

大学進学率が10％未満の時代には、大学に入学して卒業できるほどの人は、それなりの知的レベルを有していたが、大学進学率が上昇するにつれ、勉強するつもりなどないのに、肩書だけを欲しがる人が増えてきた。大学生の知的レベルの二極化が生じたわけだ。そのせいで同じ大卒なのに、なんでこうもレベルが違うのかという嫉妬が生まれ、その裏返しとして憎悪と否認に走る人が増えたのである。大学に入って勉強しなかったのは自分のせいなのだけど、この人たちにそんな話は通用しない。

これに輪をかけたのが学問の高度化だ。特に科学技術の高度化や専門化はすさまじく、最先端の研究をちゃんと理解できるのは、それに携わっている研究者だけという状況になりつつある。そうなるとますます人は自分が理解できることにしか興味を抱かなくなるのも無理はない。

かくして、発見された現象の学問的重要さではなく、自分たちの暮らしにどう役立つのかとか、その研究者の人となりのような、極めてわかりやすいことだけが人々の興味を引くトピックとなる。誰かがノーベル賞を受賞したときも、その人の業績にどれだけの価値があるのかといったことより、家族との絆とか、幼少期の様子とか、授賞式でどんなふうにダンスを踊ったのか、といったことばかりが報道され、事実より情緒を重視する風潮に拍車がかかることになる。

科学的事実でなく、情緒で判断する人たち

その最たる例が2014年に世間を騒がせたSTAP細胞に関する一連の報道である。

このときもSTAP細胞の発見が発生学の研究史上何が斬新かということより、再生医療に革命を起こす夢の技術だとか、まだうら若きリケジョ（理系女子）である小保方晴子氏が割烹着を着て研究している光景ばかりが報道された。そのころの様子を覚えている人も多いのでないだろうか。

STAP細胞に関しては、世界中の研究者がどれだけ追試を行ってもその作製に成功しなかったので、当初からその存在はかなり疑問視されていたものの、しばらくの間は真偽がよくわからないままだった。

ところが、発表から1か月後に発表された小保方氏ら3人によるプロトコール（実験手順）を読んだ専門家はすぐにこれがインチキであると確信したのである。

私も大学から帰る途中の電車内でこのプロトコールを読み、「ああ、これはダメだ

な」とがっかりしたのを覚えている。それを読むまでは、小保方氏は実験の天才なのかもしれないと思っていたんだけどね（この間の経緯は拙著『世間のカラクリ』に詳しく書いたので、興味がある方は読んでください）。

しかし、結局マスコミは科学的事実を検証することよりも、急遽開かれた記者会見で小保方氏が涙ながらに「ＳＴＡＰ細胞はあります」と話した映像を垂れ流した。そのせいで社会は、小保方さんの言ってることを信じるのか、信じないのかといった、科学とはまったく無縁の論争を繰り広げることになったわけだ。

科学的事実はどうあれ、「若くて真面目そうなリケジョがこれだけ真剣に訴えているのだから」という極めて情緒的な理由によって、「ＳＴＡＰ細胞はあるのかもしれない」と考えた人が相当数いたと思う。当時、この件で国民投票をしたならば、「ＳＴＡＰ細胞はある」ほうに投票する人が多かったかもしれない。科学的言説もまた、横行する反知性主義には勝てないのである。

雰囲気に流される人は騙しやすい

このような反知性主義が跋扈するようになると、政治の形態も微妙に変わる。一方ではすでに話したようなコアな支持者（例えば自民党政権であれば、国民の5人に1人程度の積極的な支持者たち）に対する利益誘導に邁進しつつ、世の中の大半を占める反知性主義の人たちに対しては、なるべくわかりやすい言葉で「ルサンチマン」をあおるような政治が主流になってきたのである。

ルサンチマンとは、ニーチェの用語で、弱者が強者に対して持つ、「憤り・怨恨・憎悪・非難」の感情のことを指す。つまり、知的上流階級を攻撃するような姿勢を見せることで感情移入させ、合理的な判断をする知的な人々を否認させる方向に人々を誘導していくのである。

無党派の大部分はそのような反知性主義に侵された人々だという認識のもとに戦略を練って選挙を戦い、大勝利を収めたのは、小泉純一郎のいわゆる「劇場型選挙」だろう。つまり、構造改革がいかなるものであるかを論理的には理解できていないであろう人たちの情緒と感情に訴えて、雰囲気で支持させることに成功した。知的な人を説得するのは大変だが、雰囲気に流される人たちを一律にコントロールすることはたやすい。

そうして実行された構造改革こそが、今の格差社会をもたらしたのである。

皮肉なことに、合理的判断によりそれに反対していた知的階級の少なくとも一部は、自民党政権の政策による円安と株高でかなり儲けていたりする。結局いちばんダメージを受けているのは、本質を理解せぬまま雰囲気で支持したり、無関心だったりした貧困層なのだ。

規制を撤廃して、誰でも自由に「平等」にお金を儲ける機会を保障するという政策に賛成した人たちは、「平等」に騙されてしまったのである。

情緒や感情に支配されて反知性主義に加担したことが、巡りめぐって自分たちの首を絞めることにつながったというわけだ。

このコロナ禍で科学的エビデンスを無視した政府の無能さは十分露呈しているのだから、そろそろ反知性主義からの反転も起こるかしらと私は思っていた。

しかし、2021年7月の東京都議会議員選挙では、小池百合子が過労を押して(まあ、たんなるフリかもしれないけどね)候補者の応援演説に回ったというだけで、都民ファーストの巻き返しが起こるような世の中では、そのうち日本は滅んでしまうのではないかと本気で心配になってくる。

脱「平等バカ」は、自分の頭で考えることから

よくわからないことに蓋をすることで「平等」を手に入れたかのように錯覚することほど愚かなことはない。

本気で自分の身を守ろうとするのならば、自分の頭で考え、合理的な判断をする必要がある。その基準となるのは、あくまでも事実や正しい情報であって、決して感情や雰囲気ではない。

たやすく理解できるかどうかという不平等はあるにせよ、少なくとも情報というものは誰もが平等に得られるものだと私は思う。しかもこれだけの情報化社会なのだか

ら、つい最近発表された遠い国の論文にだって誰もが目を通す機会は開かれている。真剣に事実を知ろうという姿勢さえあれば、その方法はいくらだってあるのだ。

試しに、地球温暖化に関する事実（データ）を調べてみればいい。温暖化から地球を守ることこそが正義で、そのためにはCO_2の削減こそ最重要な課題であるかのような世の中の空気は、いかがわしいことにすぐに気づくはずだ。温暖化の決定的証拠とされた「ホッケースティック曲線」が捏造であったことはすでに有名な話だし、地球温暖化は１９９７年にはすでにストップしている。ホッキョクグマだって絶滅するどころか、ここ10年で頭数は30％ほど増えているというのが事実なのである（こちらは拙著『環境問題の嘘　令和版』に詳しく書いたので、興味がある方はご参照ください）。

自分の頭で考えることは確かに面倒くさいが、考えることを放棄するのは、人間であることを放棄するに等しい。もちろん知性レベルは平等ではないかもしれないが、日本語（あるいは英語）が読めて、やさしい計算ができ、論理が正しいかをわかろうと努力する人ならば、デマ情報に騙される確率は低くなる。

自ら知ろうとしたり、学ぼうとする人ほど得をするのは、この世の常だ。混乱をきたした高齢者のワクチン接種の予約のときだって、パソコンのスキルを身につけていた人のほうが明らかに得だったと思う。

税金の仕組みも、補助金の仕組みも、もっと大きな世の中の仕組みもすべて、正しく知っている人ほど有利なのである。

第2章で述べた所得が極端に少ない世帯向けの修学支援制度にしても、制度の対象者へのウェブ調査によると、制度自体を「聞いたことがない」と回答した人がなんと2割もいたそうだ（2021年7月19日付、朝日新聞）。その存在すら知らなければ、せっかく自分を救ってくれる制度があったとしても利用などできはしない。

年金だってある年齢になったら自動的にもらえると思い込んでいる人が多いけれど、自ら申請しない限りはいつまでたっても支給されない。ややこしい手間をなるべく省いてやるというのがずっと年金保険料を払いつづけてきた国民に対するしかるべきサービスだと思うのだが、年金制度はむしろどんどん複雑化し、わかりにくくなっているので、その仕組みを正しく理解できている人のほうが少ないのではないだろうか。

人間の寿命をコントロールできない以上、年金制度は長生きした人ほど得をするのはある意味当たり前だし、それは許容すべき不公平と言えるのだろうが、ただ知らなかったり、よく理解できていなかったというだけで不利益を被るなんてバカげていると私は思う。

年金制度の恩恵にあずかる人がいる一方で、もらえるはずの年金をもらい損ねたまま、気がついたら墓の中ということだって大いにありうる。

それは「不平等」だとあなたは言うかもしれない。

けれども、その不平等から自ら脱する努力をしない限り、「平等バカ」から抜け出すことはできないのである。

おわりに

『自粛バカ』（宝島社新書）の次は『平等バカ』かよ、とお思いの方も多いと思うが、まあ、本の題をつけるに当たっては、いろいろ事情もあるので、勘弁してくださいね。本の中身は結構真面目で、一口に平等と言っても、必ずしも素晴らしい平等ばかりでないので、「平等」という言葉に騙されないでほしいという話なのだ。

「平等」には「原則平等」あるいは「機会平等」といった個々人の能力差や財力差を考慮しない「平等」と、「結果平等」といった個々人の資産の平準化を目指す「平等」がある。新自由主義が跋扈している社会では、前者の「平等」ばかりが強調されるので、もともと財力のあるものは圧倒的に有利になり、貧富の差が拡大することになる。そうかといって、徹底的に「結果平等」を目指せば、かつての社会主義国のように、努力しても報われないというある種の退廃現象を招きかねない。

そこのバランスをどうとるかが政治の要諦なのだが、グローバル・キャピタリズムの走狗になってしまった日本の現政権は、ひたすら経済格差を拡大する政策を推進している。この政策は巧妙に行われているので、多くの国民は自分たちが搾取されていることに気がつかない。

東京オリンピック2020は、この原稿を書いている時点ではまだ終わっておらず、その後どう転ぶかわからないが、新型コロナの感染がオリンピックを機に拡大することは自明なので、政権の「安全、安心」というかけ声とは裏腹に、結果的に相当数の人が亡くなる殺人オリンピックになることは間違いない。

それがわかっていても止められないのは、自分たちの短期的な利益を確保したいからである。「国民みんなが平等にオリンピックを楽しもう」といった偽りの言説の裏で進行しているのは、一部の特権階級の経済的な利益と、赤字の後始末を押し付けられる一般国民の不利益である。

コロナ禍でのオリンピックは、現政権の政策は基本的に格差の拡大に資するものだということを白日の下に晒したが、多くの政策は真の目的を隠蔽して行われるので、よほど気をつけないと騙されることになる。

経済的な格差拡大を緩和する政策は、大きく分けて2つあって、一つは富の再配分であり、もう一つは貧乏人の所得を上げる政策である。前者は主として税制であり、後者は、非正規労働者の賃金を正規労働者並みに上げることや、非正規労働者に対する派遣会社の中抜きを極小化することなどである。将来、ベーシックインカムが行われるようになれば、それもここに含まれるだろう。

税は国民から徴収した金を、広く国民の福祉に使おうというもので、給与所得などのように、所得に応じて累進課税をかければ、格差の解消に少しは役に立つ。株の譲渡所得や配当金のような分離課税は、どんなに所得があっても、一律20%の税を取られるだけなので、金持ち優遇である。トヨタのような黒字企業の大株主は、配当が年に1億円あったとして、働かなくとも8000万円が懐に入るが、働いて給与所得で1億円を稼ぐと、ほぼ5000万円近くは税金として巻き上げられる。

原則平等という観点から見れば、累進課税は不平等で、分離課税は平等のように見えるけれども、結果平等という観点からは、前者のほうが後者よりも平等ということになる。

税制の最大の問題は消費税である。消費税はどんな商品にも一律10%(一部は8%)で平等に見えるけれども、収入の大半を生活必需品に注ぎ込まなければならない貧乏人にはつらい制度である。撤廃するか、高価な商品には高率の消費税をかけるといった累進消費税にしたほうが、結果平等に資するだろう。

現政権は最低賃金をスズメの涙ほど上げるようだが、最低賃金はせめて時給1500円くらいにしないとね。企業の儲けは内部留保(利益余剰金)として危機に備えて蓄えられているが、内部留保として蓄える前の段階で従業員の給与に回せば、労働者の購買力も上がり、経営者側も労働者側もウィンウィンゲームになるのにね。

ちなみに、2019年度の内部留保は475兆円である。これでは、景気が良くならないのも無理はない。

大金持ちが存在しても悪いことはないが、なるべく貧乏人を減らし、中間層を厚くする政策を取らないと、日本の未来は暗いと思う。
そのためにも、「平等」というコトバが持つ二面性について考えていただきたい。

2021年8月　ツクツクボウシが鳴き始めた高尾の寓居にて

池田清彦

池田清彦（いけだ きよひこ）

1947年、東京都生まれ。生物学者。東京教育大学理学部生物学科卒、東京都立大学大学院理学研究科博士課程生物学専攻単位取得満期退学、理学博士。山梨大学教育人間科学部教授、早稲田大学国際教養学部教授を経て、現在、早稲田大学名誉教授、山梨大学名誉教授。高尾599ミュージアムの名誉館長。生物学分野のほか、科学哲学、環境問題、生き方論など、幅広い分野に関する著書がある。フジテレビ系『ホンマでっか!?TV』などテレビ、新聞、雑誌などでも活躍中。著書に『世間のカラクリ』（新潮文庫）、『自粛バカ リスクゼロ症候群に罹った日本人への処方箋』（宝島社新書）、『環境問題の嘘 令和版』（MdN新書）、『したたかでいい加減な生き物たち』（さくら舎）、『騙されない老後　権力に迎合しない不良老人のすすめ』（小社）など多数。また、『まぐまぐ』でメルマガ『池田清彦のやせ我慢日記』（http://www.mag2.com/m0001657188）を月2回、第2・第4金曜日に配信中。

編集協力／熊本りか
装丁・DTP／小田光美

扶桑社新書 405

平等バカ
～原則平等に縛られる日本社会の異常を問う～

発行日 2021年 9 月1日　初版第1刷発行
2021年10月1日　第2刷発行

著　者………池田清彦
発 行 者………久保田榮一
発 行 所………株式会社 扶桑社
〒105-8070
東京都港区芝浦1-1-1 浜松町ビルディング
電話 03-6368-8887（編集）
03-6368-8891（郵便室）
www.fusosha.co.jp

印刷・製本………株式会社 廣済堂

Printed in Japan　ISBN 978-4-594-08930-6